Diogenes Taschenbuch 21733

de
te

Friedrich Glauser

Sämtliche Kriminalromane

Band 1

Friedrich Glauser

Wachtmeister Studer

Roman

Mit einem Nachwort von Hugo Loetscher

Diogenes

Erstdruck ab 24. Juli 1936
in der ›Zürcher Illustrierten‹
Diese Ausgabe bringt den vollständigen Text
der 1936 im Morgarten-Verlag AG Zürich erschienenen
Erstausgabe; sie wurde um ein Inhaltsverzeichnis ergänzt
Das Nachwort hat Hugo Loetscher eigens für diese Ausgabe
geschrieben, es wird hier zum erstenmal veröffentlicht

Umschlagillustration:
Heinrich Gretler als Wachtmeister Studer
im gleichnamigen Film der Praesens-Film AG Zürich
aus dem Jahr 1939, Regie Leopold Lindtberg
Abdruck mit freundlicher Genehmigung
der Rialto-Film AG Zürich

Veröffentlicht als Diogenes Taschenbuch, 1989

www.diogenes.ch
30/03/8/11
ISBN 3 257 21733 1

Inhalt

Einer will nicht mehr mitmachen

Der Gefangenenwärter mit dem dreifachen Kinn und der roten Nase brummte etwas von »ewigem Gstürm«, – weil ihn Studer vom Mittagessen wegholte. Aber Studer war immerhin ein Fahnderwachtmeister von der Berner Kantonspolizei, und so konnte man ihn nicht ohne weiteres zum Teufel jagen.

Der Wärter Liechti stand also auf, füllte sein Wasserglas mit Rotwein, leerte es auf einen Zug, nahm einen Schlüsselbund und kam mit zum Häftling Schlumpf, den der Wachtmeister vor knapp einer Stunde eingeliefert hatte.

Gänge... Dunkle lange Gänge... Die Mauern waren dick. Das Schloß Thun schien für Ewigkeiten gebaut. Überall hockte noch die Kälte des Winters.

Es war schwer, sich vorzustellen, daß draußen ein warmer Maientag über dem See lag, daß in der Sonne Leute spazieren gingen, unbeschwert, daß andere in Booten auf dem Wasser schaukelten und sich die Haut braun brennen ließen.

Die Zellentüre ging auf. Studer blieb einen Augenblick auf der Schwelle stehen. Zwei waagrechte, zwei senkrechte Eisenstangen durchkreuzten das Fenster, das hoch oben lag. Der Dachfirst eines Hauses war zu sehen – mit alten, schwarzen Ziegeln – und über ihm wehte als blendend blaues Tuch der Himmel.

Aber an der unteren Eisenstange hing einer! Der Ledergürtel war fest verknüpft und bildete einen Knoten. Dunkel hob sich ein schiefer Körper von der weißgekalkten Wand ab. Die Füße ruhten merkwürdig verdreht auf dem Bett. Und im Nacken des Erhängten glänzte die Gürtelschnalle, weil ein Sonnenstrahl sie von oben traf.

»Herrgott!« sagte Studer, schoß vor, sprang aufs Bett – und der Wärter Liechti wunderte sich über die Beweglichkeit des älteren Mannes – packte den Körper mit dem rechten Arm, während die linke Hand den Knoten aufknüpfte.

Studer fluchte, weil er sich einen Nagel abgebrochen hatte. Dann stieg er vom Bett und legte den leblosen Körper sanft nieder.

»Wenn Ihr nicht so verdammt rückständig wäret«, sagte Studer, »und wenigstens Drahtgitter vor den Fenstern anbringen würdet, dann könnten solche Sachen nicht passieren. – So! Aber jetzt spring, Liechti, und hol den Doktor!«

»Ja, ja!« sagte der Wärter ängstlich und humpelte davon.

Zuerst machte der Fahnderwachtmeister künstliche Atmung. Es war wie ein Reflex. Etwas, das aus der Zeit stammte, da er einen Samariterkurs mitgemacht hatte. Und erst nach fünf Minuten fiel es Studer ein, das Ohr auf die Brust des Liegenden zu legen und zu lauschen, ob das Herz noch schlage. Ja, es schlug noch. Langsam. Es klang wie das Ticken einer Uhr, die man vergessen hat aufzuziehen; Studer pumpte weiter mit den Armen des Liegenden. Unter dem Kinn durch, von einem Ohr zum andern, lief ein roter Streifen.

»Aber Schlumpfli!« sagte Studer leise. Er nahm sein Nastuch aus der Tasche, wischte sich zuerst selbst die Stirne ab, dann fuhr er mit dem Tuch über das Gesicht des Burschen. Ein Bubengesicht: jung, zwei dicke Falten über der Nasenwurzel. Trotzig. Und sehr bleich.

Das war also der Schlumpf Erwin, den man heut morgen in einem Krachen des Oberaargaus verhaftet hatte. Schlumpf Erwin, angeklagt des Mordes an Witschi Wendelin, Kaufmann und Reisender in Gerzenstein.

Zufall, daß man zur rechten Zeit gekommen war! Vor einer Stunde etwa hatte man den Schlumpf ordnungsgemäß im Gefängnis eingeliefert, der Wärter mit dem dreifachen Kinn hatte unterschrieben – man konnte getrost den Zug nach Bern nehmen und die ganze Sache vergessen. Es war nicht die erste Verhaftung, die man vorgenommen hatte, es würde auch nicht die letzte sein. Warum hatte man das Bedürfnis verspürt den Schlumpf Erwin noch einmal zu besuchen?

Zufall?

Vielleicht ... Was ist schon Zufall? ... Es war nicht zu leugnen, daß man dem Schicksal des Schlumpf Erwin teilnahmsvoll gegenüberstand. Richtiger gesagt, daß man den Schlumpf Erwin liebgewonnen hatte ... Warum? ... Studer in der Zelle strich sich ein paar Male mit der flachen Hand über den Nacken. Warum? Weil man keinen Sohn gehabt hatte? Weil der Verhaftete auf der ganzen Reise seine Unschuld beteuert hatte? Nein. Unschuldig sind sie alle. Aber die Beteuerungen des Schlumpf Erwin hatten ehrlich geklungen. Obwohl ...

Obwohl der Fall eigentlich ganz klar lag. Den Kaufmann und Reisenden Wendelin Witschi hatte man am Mittwochmorgen mit einem Einschuß hinter dem rechten Ohr, auf dem Bauche liegend, in einem Walde in der Nähe von Gerzenstein aufgefunden. Die Taschen der Leiche waren leer... Die Frau des Ermordeten hatte behauptet, ihr Mann habe dreihundert Franken bei sich getragen.

Und am Mittwochabend hatte Schlumpf im Gasthof zum »Bären« eine Hunderternote gewechselt...

Am Donnerstagmorgen wollte ihn der Landjäger verhaften, aber Schlumpf war geflohen.

So war es eben gekommen, daß der Polizeihauptmann am Donnerstagabend den Wachtmeister Studer in seinem Bureau aufgesucht hatte:

»Studer, du mußt an die frische Luft. Morgen früh gehst du den Schlumpf Erwin verhaften. Es wird dir gut tun. Du wirst zu dick...«

Es stimmte, leider... Gewiß, sonst schickte man zu solchen Verhaftungen Gefreite. Es hatte den Fahnderwachtmeister getroffen... Auch Zufall?... Schicksal?...

Genug, man war an den Schlumpf geraten, und man hatte ihn liebgewonnen. Eine Tatsache! Mit Tatsachen, auch wenn sie nur Gefühle betreffen, muß man sich abfinden.

Der Schlumpf! Sicherlich kein wertvoller Mensch! Man kannte ihn auf der Kantonspolizei. Ein Unehelicher. Die Behörde hatte sich fast ständig mit ihm beschäftigen müssen. Sicher wogen die Akten auf der Armendirektion mindestens anderthalb Kilo. Lebenslauf?

Verdingbub bei einem Bauern. Diebstähle. – Vielleicht hat er Hunger gehabt? Wer kann das hinterdrein noch feststellen? – Dann ging es, wie es in solchen Fällen immer geht. Erziehungsanstalt Tessenberg. Ausbruch. Diebstahl.

Wieder gefaßt. Geprügelt. Endlich entlassen. Einbruch. Witzwil. Entlassen. Einbruch. Thorberg drei Jahre. Entlassen. Und dann hatte es Ruhe gegeben – zwei volle Jahre. Der Schlumpf hatte in der Baumschule Ellenberger in Gerzenstein gearbeitet. Sechzig Rappen Stundenlohn. Hatte sich in ein Mädchen verliebt. Die beiden wollten heiraten. Heiraten! Studer schnaubte durch die Nase. So ein Bursch und heiraten! Und dann war der Mord an dem Wendelin Witschi passiert...

Es war ja bekannt, daß der alte Ellenberger in seinen Baumschulen mit Vorliebe entlassene Sträflinge anstellte. Nicht nur, weil sie billige Arbeitskräfte waren, nein, der Ellenberger schien sich in ihrer Gesellschaft wohlzufühlen. Nun, jeder Mensch hat seinen Sparren, und es war nicht zu leugnen, daß die Rückfälligen sich ganz gut hielten beim alten Ellenberger...

Und nur weil der Schlumpf am Mittwochabend eine Hunderternote im Bären gewechselt hatte, sollte er den Raubmord begangen haben? ... Der Bursche hatte das so erklärt: es sei erspartes Geld gewesen, er habe es bei sich getragen...

Chabis! ... Erspart! ... Bei sechzig Rappen Stundenlohn? Das machte im Monat rund hundertfünfzig Franken... Zimmermiete dreißig... Essen? – Zwei Franken fünfzig am Tag für einen Schwerarbeiter war wenig gerechnet. Fünfundsiebzig und dreißig macht hundertfünf, Wäsche fünf – Cigaretten, Wirtschaft, Tanz, Haarschneiden, Bad – Blieben im besten Falle fünf Franken im Monat. Und dann sollte er in zwei Jahren dreihundert Franken erspart haben? Unmöglich! Das Geld bei sich getragen haben? Psychologisch undenkbar. Solche Leute können kein Geld in der Tasche tragen, ohne es zu verputzen ... Auf der Bank? Vielleicht. Aber nur so in der Brieftasche? ...

Und doch, der Schlumpf hatte dreihundert Franken bei sich gehabt. Nicht ganz. Zwei Hunderternoten und etwa achtzig Franken. Studer sah das Einlieferungsprotokoll, das er unterzeichnet hatte:

»Portemonnaie mit Inhalt: 282 Fr. 25.«

Also ... Es stimmte alles! Sogar der Fluchtversuch im Bahnhof Bern. Ein dummer Fluchtversuch! Kindisch! Und doch so begreiflich! Diesmal langte es ja für lebenslänglich ...

Studer schüttelte den Kopf. Und doch! Und doch! Etwas stimmte nicht an der ganzen Sache. Vorerst war es nur ein Eindruck, ein gewisses unangenehmes Gefühl. Und der Fahnderwachtmeister fröstelte. Diese Zelle war kalt. Kam denn der Doktor nicht bald?

Wollte der Schlumpf eigentlich gar nicht aufwachen? ... Ein tiefer Atemzug hob die Brust des Liegenden, die verdrehten Augen kamen in die richtige Stellung und Schlumpf sah den Wachtmeister an. Studer fuhr zurück.

Ein unangenehmer Blick. Und jetzt öffnete Schlumpf den Mund und schrie. Ein heiserer Schrei – Schrecken, Abwehr, Furcht, Entsetzen ... Viel lag in dem Schrei. Er wollte nicht enden.

»Still! Willst still sein!« flüsterte Studer. Er bekam Herzklopfen. Schließlich tat er das einzig mögliche: er legte seine Hand auf den lauten Mund ...

»Wenn du still bist«, sagte der Wachtmeister, »dann bleib ich noch eine Weile bei dir, und du kannst eine Zigarette rauchen, wenn der Doktor fort ist. Hä? Ich bin doch noch zur rechten Zeit gekommen...« und versuchte ein Lächeln.

Aber das Lächeln wirkte auf den Schlumpf durchaus nicht ansteckend. Zwar sein Blick wurde sanfter, aber als Studer seine Hand vom Munde fortnahm, sagte Schlumpf leise:

»Warum habt Ihr mich nicht hängen lassen, Wachtmeister?«

Schwer auf diese Frage eine richtige Antwort zu finden! Man war doch kein Pfarrer...

Es war still in der Zelle. Draußen tschilpten Spatzen. Im Hof unten sang ein kleines Mädchen mit dünner Stimme:

»O du liebs Engeli,
Rosmarinstengeli,
Alliweil, alliweil, blib i dir treu...«

Da sagte Studer und seine Stimme klang heiser:

»Eh, du hast mir doch erzählt, daß du heiraten willst? Das Meitschi... es wird doch zu dir halten, oder? Und wenn du sagst, du bist unschuldig, so ist's doch gar nicht sicher, daß du verurteilt wirst. Und du kannst dir doch denken, daß ein Selbstmordversuch die größte Dummheit gewesen ist, die du hast machen können. Das wird dir als Geständnis ausgelegt...«

»Es war doch kein Versuch. Ich hab wirklich...«

Aber Studer brauchte nicht zu antworten. Es kamen Schritte den Gang entlang, der Wärter Liechti sagte:

»Da drin ist er, Herr Doktor.«

»Scho wieder z'wäg?« fragte der Doktor und griff nach Schlumpfs Handgelenk. »Künstliche Atmung? Fein!«

Studer stand vom Bett auf und lehnte sich gegen die Wand.

»Ja, also«, sagte der Doktor. »Was machen wir mit ihm? Selbstgefährlich! Suicidal! Na ja, das kennt man. Wir werden eine psychiatrische Expertise verlangen... Nicht wahr?«

»Herr Doktor, ich will nicht ins Irrenhaus«, sagte Schlumpf laut und deutlich, dann hustete er.

»So? Und warum nicht? Na ja, dann könnte man... Ihr habt doch sicher eine Zweierzelle, Liechti, in die man den Mann legen könnte, damit er nicht so allein ist... Geht das? Fein...«

Dann, leise, so, wie man auf dem Theater flüstert, jedes Wort verständlich: »Was hat er angestellt?«

»Gerzensteiner Mord!« flüsterte der Wärter ebenso deutlich zurück.

»Ah, ah«, nickte der Doktor bekümmert – so schien es wenigstens. Schlumpf drehte den Kopf, sah hinüber zum Wachtmeister. Studer lächelte, Schlumpf lächelte zurück. Sie verstanden sich.

»Und wer ist dieser Herr da?« fragte der Arzt. Das Lächeln der beiden brachte ihn in Verlegenheit.

Studer trat so heftig vor, daß der Doktor einen Schritt zurückwich. Der Wachtmeister stand steif da. Sein bleiches Gesicht mit der merkwürdig schmalen Nase paßte nicht so recht zu dem ein wenig verfetteten Körper.

»Wachtmeister Studer von der Kantonspolizei!« Es klang aufrührerisch und bockig.

»So, so! Freut mich, freut mich! Und Sie sind mit der Untersuchung des Falles betraut?« Der blonde Arzt versuchte seine Sicherheit wiederzugewinnen.

»Ich hab ihn verhaftet«, sagte Studer kurz. »Übrigens, ich will gern noch eine Weile bei ihm bleiben bis er sich beruhigt hat. Ich hab Zeit. Der nächste Zug nach Bern fährt erst um halb fünf ...«

»Fein!« sagte der Arzt. »Wunderbar! Tut das nur, Wachtmeister. Und heut abend legt Ihr mir den Mann in eine Zweierzelle. Verstanden, Liechti?«

»Jawohl, Herr Doktor.«

»Lebet wohl miteinander«, sagte der Arzt und setzte den Hut auf. Liechti fragte ob er schließen solle. Studer winkte ab. Gegen Haftpsychosen waren wohl offene Türen das wirksamste Gegenmittel.

Und die Schritte verhallten im Gang.

Umständlich setzte Studer den Strohhalm in Brand, den er aus der Brissago gezogen hatte, hielt die Flamme unter das Ende derselben, wartete bis der Rauch oben herausquoll und steckte sie dann in den Mund.

Dann zog er ein gelbes Päckli aus der Tasche, sagte: »So, nimm eine!« Schlumpf sog den ersten Zug der Zigarette tief in die Lungen. Seine Augen leuchteten. Studer setzte sich aufs Bett.

– Der Wachtmeister sei ein Guter, sagte der Schlumpf.

Und Studer mußte sich zusammennehmen, um ein merkwürdiges Gefühl im Halse zu unterdrücken. Um es zu vertreiben, gähnte er ausgiebig.

»So, Schlumpfli«, sagte er dann. »Und jetzt. Warum hast du Schluß machen wollen?«

– Das könne man nicht so ohne weiteres sagen, meinte der Schlumpf. Es sei ihm alles verleidet gewesen. Und er kenne ja den Betrieb. Wenn man einmal verhaftet sei, dann käme man nicht mehr los. Vorbestraft! – Und jetzt werde es für lebenslänglich langen ... Und das Meitschi, von dem der Wachtmeister gesprochen habe, das werde ja wohl auch nicht warten wollen. Es wäre schön dumm, wenn es das täte. – Wer denn das Meitschi sei? – Es heiße Sonja und sei die Tochter vom ermordeten Witschi. – Und ob die Sonja glaube, daß er den Mord begangen habe? – Das wisse er nicht. Er sei einfach fort, damals, als er gehört habe, man beschuldige ihn. – Wie das denn zugegangen sei, daß man gerade auf ihn verfallen sei? – Eh, wegen der Hunderternote, die er im »Leuen« gewechselt habe. – Im »Leuen?« Nicht im »Bären«? – Es könne auch im »Bären« gewesen sein. Natürlich im »Bären«! Der »Leuen« sei die fürnehme Wirtschaft, da hätten sie einmal bei einem Anlaß aufgespielt ...

»Bei welchem Anlaß? Und wer hat aufgespielt?«

»Bei einer Hochzeit. Der Buchegger hat Klarinette gespielt, der Schreier Klavier und der Bertel Baßgeige. Und ich Handharfe ...«

»Schreier? – Buchegger? – Die – die kenn' ich doch!« Studer runzelte die Stirn.

»Denk wohl!« sagte der Schlumpf, und ein kleines Lächeln entstand in seinen Mundwinkeln. »Der Buchegger hat oft von Euch erzählt und der Schreier auch. Ihr habt ihn vor drei Jahren geschnappt ...«

Studer lachte. So, so! Alte Bekannte! – Und die hätten sich also zu einer Ländlerkapelle zusammengetan?

»Ländlerkapelle?« Schlumpf tat beleidigt. »Nein! Ein richtiger Jazzband. Der Ellenberger, unser Meister, hat uns sogar einen englischen Namen gegeben: ›The Convict Band‹! Das soll heißen: Die Sträflingsmusik...«

Der Bursche Schlumpf schien ganz zufrieden zu sein, von nebensächlichen Dingen zu sprechen. Aber wenn man vom Mord anfing, versuchte er abzubiegen.

Studer war einverstanden. Der Schlumpf sollte nur abschweifen, wenn er Freude daran hatte. Nicht drängen! Es kommt alles von selbst, wenn man genügend Geduld hat...

»Dann habt Ihr auch in den umliegenden Dörfern gespielt?«

»Sowieso!«

»Und ordentlich Geld verdient?«

»Zünftig...« Zögern. Schweigen.

»Also, Schlumpfli, ich will dir ja glauben, daß du den Witschi nicht umgebracht hast – um ihm die Brieftasche zu rauben. Dreihundert Franken hast du erspart gehabt?«

»Ja, dreihundert Erspartes...« Schlumpf blickte zum Fenster auf, seufzte, vielleicht weil der Himmel so blau war.

»Du hast also die Tochter vom Ermordeten heiraten wollen? Sonja hieß sie? Und die Eltern, die waren einverstanden?«

»Der Vater schon; der alte Witschi hat gesagt, ihm sei es gleich. Er war oft beim Ellenberger zu Besuch und dort hat er mit mir gesprochen, der Ermordete, wie Ihr sagt... Er hat gemeint, ich sei ein ordentlicher Bursch, und wenn ich auch ein Vorbestrafter sei, man solle nicht zu Gericht sitzen, und wenn ich einmal die Sonja zur Frau hätte, dann würde ich keine Dummheiten mehr machen. Die Sonja sei ein ordentliches Meitschi … Und dann hat mir mein Meister die Obergärtnerstelle versprochen, weil doch der Cottereau schon alt ist und ich tüchtig bin …«

»Cottereau? Hat der die Leiche gefunden?«

»Ja. Er geht jeden Morgen spazieren. Der Meister läßt ihn machen, was er will. Der Cottereau stammt aus dem Jura, aber man merkt ihm das Welsche nicht mehr an. Am Mittwochmorgen ist er in die Baumschule gelaufen gekommen und hat erzählt, im Walde liege der Witschi, erschossen … Dann hat ihn der Meister gleich auf den Landjägerposten geschickt, um die Meldung zu machen.«

»Und was hast du gemacht, nachdem du vom Cottereau die Neuigkeit erfahren hast?«

Ach, meinte der Schlumpf, sie hätten alle Angst gehabt, weil der Verdacht auf sie fallen müsse, als Vorbestrafte. Aber den ganzen Tag sei es ruhig gewesen, niemand sei in dic Baumschule gekommen. Nur der Cottereau habe sich nicht beruhigen können, bis ihn der Meister angeschnauzt habe, er solle mit dem G'stürm aufhören …

»Und am Mittwochabend hast du die hundert Franken im ›Bären‹ gewechselt?«

»Am Mittwochabend, ja …«

Stille. Studer hatte das Päckchen Parisiennes neben sich liegen lassen. Ohne zu fragen nahm Schlumpf eine Zigarette, der Wachtmeister gab ihm die Schachtel Zündhölzer und sagte:

»Versteck beides. Aber laß dich nicht erwischen!«

Schlumpf lächelte dankbar.

»Wann habt Ihr Feierabend in der Baumschule?«

»Um sechs. Wir haben den Zehnstundentag.« Dann

fügte Schlumpf eifrig hinzu: »Überhaupt, in der Gärtnerei kenn ich mich aus. Der Vorarbeiter auf dem Tessenberg hat immer gesagt, ich kann etwas. Und ich schaff' gern ...«

»Das ist mir gleich!« Studer sprach absichtlich streng. »Nach dem Feierabend bist du ins Dorf, in dein Zimmer. Wo hast du gewohnt?«

»Bei Hofmanns, in der Bahnhofstraße. Ihr findet das Haus leicht. Die Frau Hofmann war eine Gute ... Sie haben eine Korberei.«

»Das interessiert mich nicht! Du bist in dein Zimmer, hast dich gewaschen. Dann bist du zum Nachtessen gegangen? Oder?«

»Ja.«

»Also: sechs Uhr Feierabend.« Studer zog ein Notizheft aus der Tasche und begann nachzuschreiben. »Sechs Uhr Feierabend, halb sieben – viertel vor sieben Nachtessen ...« Aufblickend: »Hast du schnell gegessen? Langsam? Hast du Hunger gehabt?«

»Nicht viel Hunger ...«

»Dann hast du schnell gegessen und warst um sieben fertig ...«

Studer schien in sein Notizbuch zu starren, aber seine Augen waren beweglich. Er sah die Veränderung in den Gesichtszügen des Schlumpf und unterbrach die Spannung, indem er harmlos fragte:

»Wieviel hast du für das Nachtessen bezahlt?«

»Eins fünfzig. Zu Mittag hab ich immer beim Ellenberger eine Suppe gegessen und Brot und Käs mitgebracht. Der Ellenberger hat nur fünfzig Rappen für den Teller Suppe verlangt, und z'Immis hat er umsonst gegeben, denn der

Ellenberger war immer anständig mit uns, wir haben ihn gern gehabt, er hat so kohlig dahergeredet, er sieht aus, wie ein uralter Mann, hat keine Zähne mehr, aber...« dies alles in einem Atemzug, als ob der Redende vor einer Unterbrechung Angst hätte. Doch Studer wollte diesmal auf das Geschwätz nicht eingehen.

»Was hast du am Mittwochabend zwischen sieben und acht Uhr gemacht?« fragte er streng. Er hielt den Bleistift zwischen den mageren Fingern und blickte nicht auf.

»Zwischen sechs und sieben?« Schlumpf atmete schwer.

»Nein, zwischen sieben und acht. Um sieben warst du mit dem Nachtessen fertig, um acht hast du im »Bären« eine Hunderternote gewechselt. Wer hat dir die dreihundert Franken gegeben?«

Und Studer blickte den Burschen fest an. Schlumpf drehte den Kopf zur Seite, plötzlich warf er sich herum, drückte die Augen in die Ellbogenbeuge. Sein Körper zitterte.

Studer wartete. Er war nicht unzufrieden. Mit kleinen Buchstaben schrieb er in sein Notizbuch: »Sonja Witschi« und malte hinter die Worte ein großes Fragezeichen. Dann wurde seine Stimme weich, als er sagte:

»Schlumpfli, wir werden die Sache schon einrenken. Ich hab' dich extra nicht gefragt, was du am Dienstagabend, also am Abend vor dem Mord, getan hast. Da hättest du mich doch nur angelogen. Und dann steht es sicher in den Akten, und ich kann auch deine Wirtin fragen... Aber sag mir noch: Was ist die Sonja für ein Meitschi? Ist sie das einzige Kind?«

Schlumpfs Kopf fuhr in die Höhe.

»Ein Bruder ist noch da. Der Armin!«

»Und den Armin magst du nicht?«

Dem habe er einmal zünftig auf den Gring gegeben, sagte Schlumpf und zeigte die Zähne wie ein knurrender Hund.

»Der Armin hat dir die Schwester nicht gönnen mögen?«

»Ja; und mit dem Vater hat er auch immer Krach gehabt. Der Witschi hat sich oft genug über ihn beklagt...«

»Soso... Und die Mutter?«

»Die Alte hat immer Romane gelesen...« (»die Alte«, sagte der Bursche respektlos). »Sie ist mit dem Gemeindepräsidenten Aeschbacher verwandt und der hat ihr den Bahnhofkiosk in Gerzenstein verschafft. Dort ist sie immer gehockt und hat gelesen, während der Vater hausiert hat... Nicht gerade hausiert. Er ist mit einem Zehnderli herumgefahren, als Reisender für Bodenwichse, Kaffee... Und das Zehnderli hat man ja auch gefunden, ganz in der Nähe, es stand an der Straße...«

»Und wo ist der alte Witschi gelegen?«

»Hundert Meter davon, im Wald, hat der Cottereau erzählt...«

Studer zeichnete Männlein in sein Notizbuch. Er war plötzlich weit weg. Er war in dem Krachen im Oberaargau, wo er den Burschen verhaftet hatte. Die Mutter hatte ihm aufgemacht. Eine merkwürdige Frau, diese Mutter des Schlumpf! Sie war gar nicht erstaunt gewesen. Sie hatte nur gefragt: »Aber er darf noch z'Morgen essen?«...

Ein kleines Mädchen in Gerzenstein, eine alte Mutter im Oberaargau... und zwischen beiden der Bursche Schlumpf, angeklagt des Mordes...

Es kam ganz darauf an, was für ein Untersuchungsrichter

den Fall übernehmen würde ... Man müßte mit dem Mann reden können. Vielleicht ...

Schritte kamen näher. Der Wärter Liechti erschien in der Tür und sein rotes Gesicht glänzte boshaft.

»Wachtmeister, der Herr Untersuchungsrichter will Euch sprechen.«

Und Liechti grinste unverschämt. Es war nicht schwer zu erraten, was das Grinsen zu bedeuten hatte. Ein Fahnder hatte seine Kompetenzen überschritten und wurde eingeladen, den fälligen Rüffel in Empfang zu nehmen ...

»Leb wohl, Schlumpfli!« sagte Studer. »Mach keine Dummheiten mehr. Soll ich die Sonja grüßen, wenn ich sie seh'? Ja? Also; ich komm dich dann vielleicht einmal besuchen. Leb wohl!«

Und während Studer durch die langen Gänge des Schlosses schritt, konnte er den Blick nicht los werden und den Blick nicht deuten, mit dem ihm Schlumpf nachgeblickt hatte. Erstaunen lag darin, jawohl, aber hockte nicht auch eine trostlose Verzweiflung auf dem Grunde?

Der Fall Wendelin Witschi zum ersten

Ihr seid…« (Räuspern.) »Ihr seid der Wachtmeister Studer?«

»Ja.«

»Nehmt Platz.«

Der Untersuchungsrichter war klein, mager, gelb. Sein Rock war über den Achseln gepolstert und von lilabrauner Farbe. Zu einem weißen, seidenen Hemd trug er eine kornblumenblaue Krawatte. In den dicken Siegelring war ein Wappen eingraviert – der Ring schien übrigens alt.

»Wachtmeister Studer, ich möchte Euch sehr höflich fragen, was Ihr Euch eigentlich vorstellt. Wir kommt Ihr dazu, Euch eigenmächtig – ich wiederhole: eigenmächtig! in einen Fall einzumischen, der…«

Der Untersuchungsrichter stockte und wußte selbst nicht weshalb. Da saß vor ihm ein einfacher Fahnder, ein älterer Mann, an dem nichts Auffälliges war: Hemd mit weichem Kragen, grauer Anzug, der ein wenig aus der Form geraten war, weil der Körper, der darin steckte, dick war. Der Mann hatte ein bleiches, mageres Gesicht, der Schnurrbart bedeckte den Mund, so daß man nicht recht wußte, lächelte der Mann oder war er ernst. Dieser Fahnder also hockte auf seinem Stuhl, die Schenkel gespreizt, die Unterarme auf den Schenkeln und die Hände gefaltet…

Der Untersuchungsrichter wußte selbst nicht, warum er plötzlich vom »Ihr« zum »Sie« überging.

»Sie müssen begreifen, Wachtmeister, es scheint mir, als hätten Sie Ihre Kompetenzen überschritten ...« Studer nickte und nickte: natürlich, die Kompetenzen! ... »Was hatten Sie für einen Grund, den Eingelieferten, den ordnungsmäßig eingelieferten Schlumpf Erwin noch einmal zu besuchen? Ich will ja gerne zugeben, daß Ihr Besuch höchst opportun gewesen ist – das will aber noch nicht sagen, daß er sich mit dem Kompetenzbereich der Fahndungspolizei gedeckt hat. Denn, *Herr* Wachtmeister, Sie sind schon lange genug im Dienste, um zu wissen, daß ein fruchtbares Zusammenarbeiten der diversen Instanzen nur dann möglich ist, wenn jede darauf sieht, daß sie sich streng in den Grenzen ihres Kompetenzbereiches hält ...«

Nicht einmal, nein, dreimal das Wort Kompetenz ... Studer war im Bild. Das trifft sich günstig, dachte er, das sind die Bösesten nicht, die immer mit der Kompetenz aufrücken. Man muß nur freundlich zu ihnen sein und sie recht ernst nehmen, dann fressen sie einem aus der Hand ...

»Natürlich, Herr Untersuchungsrichter«, sagte Studer und seine Stimme drückte Sanftmut und Respekt aus, »ich bin mir bewußt, daß ich wahr- und wahrhaftig meine Kompetenzen überschritten habe. Sie stellten ganz richtig fest, daß ich es bei der Einlieferung des Häftlings Schlumpf Erwin hätte bewenden lassen sollen. Und dann – ja, Herr Untersuchungsrichter, der Mensch ist schwach – dann dachte ich, daß der Fall vielleicht doch nicht so klar liege, wie ich es anfangs angenommen hatte. Es könnte möglich sein, dachte ich, daß eine weitere Untersuchung des Falles sich als nötig erweisen würde und daß ich vielleicht mit deren Verfolgung betraut werden könnte, und da wollte ich im Bilde sein ...«

Der Untersuchungsrichter war sichtlich schon versöhnt.

»Aber, Wachtmeister«, sagte er, »der Fall ist doch ganz klar. Und schließlich, wenn dieser Schlumpf sich auch erhängt hätte, das Malheur wäre nicht groß gewesen – ich wäre eine unangenehme Sache los geworden und der Staat hätte keine Gerichtskosten zu tragen brauchen ...«

»Gewiß, Herr Untersuchungsrichter. Aber wäre mit dem Tode des Schlumpf wirklich der ganze Fall erledigt gewesen? Denn daß der Schlumpf unschuldig ist, werden auch Sie bald herausfinden.«

Eigentlich war eine derartige Behauptung eine Frechheit. Aber so ehrerbietig war Studers Stimme, so zwingend heischte sie Bejahung, daß dem Herrn mit dem wappengeschmückten Siegelring nichts anderes übrig blieb, als zustimmend zu nicken.

Mit braunem Holz waren die Wände des Raumes getäfelt, und da die Läden vor den Fenstern geschlossen waren, schimmerte die Luft wie dunkles Gold.

»Die Akten des Falles«, sagte der Untersuchungsrichter ein wenig unsicher. »Die Akten des Falles ... Ich habe noch nicht recht Zeit gehabt, mich mit ihnen zu beschäftigen ... Warten Sie ...«

Rechts von ihm waren fünf Aktenbündel übereinandergeschichtet. Das unterste, das dünnste, war das richtige. Auf dem blauen Kartondeckel stand:

»Leider«, sagte Studer und machte ein unschuldiges Gesicht. »Leider hat man in letzter Zeit ziemlich viel von mangelhaft geführten Untersuchungen gehört. Und da wäre es vielleicht besser, wenn man sich auch bei einem so klaren Fall mit den notwendigen Kautelen umgeben würde ...«

Innerlich grinste er: Kommst du mir mit Kompetenz, komm ich dir mit Kautelen.

Der Untersuchungsrichter nickte. Er hatte eine Hornbrille aus einem Futteral gezogen, sie auf die Nase gesetzt. Jetzt sah er aus wie ein trauriger Filmkomiker.

»Gewiß, gewiß, Wachtmeister. Sie müssen nur bedenken, es ist meine erste schwere Untersuchung, und da wird mir natürlich Ihre Kompetenz in diesen Angelegenheiten ...«

Weiter kam er nicht. Studer hob abwehrend die Hand.

Aber der Untersuchungsrichter beachtete die Bewegung nicht. Er hatte zwei Photographien in der Hand und reichte sie über den Tisch:

»Aufnahmen des Tatortes ...«, sagte er.

Studer betrachtete die Bilder. Sie waren nicht schlecht, obwohl sie von keinem kriminologisch geschulten Fachmann aufgenommen worden waren. Auf beiden sah man das Unterholz eines Tannenwaldes und auf dem Boden, der mit dürren Nadeln übersät war – die Bilder waren sehr scharf –, lag eine dunkle Gestalt auf dem Bauch. Rechts am kahlen Hinterkopf, schätzungsweise drei Finger breit von der Ohrmuschel, gerade über einem dünnen Haarkranz, der zum Teil den Rockkragen bedeckte, war ein dunkles Loch zu sehen. Es sah ziemlich abstoßend aus. Aber Studer war an solche Bilder gewöhnt. Er fragte nur:

»Taschen leer?«

»Warten Sie, ich habe hier den Rapport vom Landjägerkorporal Murmann...«

»Ah«, unterbrach Studer, »der Murmann ist in Gerzenstein. So, so!«

»Kennen Sie ihn?«

»Doch, doch. Ein Kollege. Hab ihn aber schon viele Jahre nicht gesehen. Was schreibt der Murmann?«

Der Untersuchungsrichter drehte das Blatt um, dann murmelte er halbe Sätze vor sich hin. Studer verstand:

»... männliche Leiche auf dem Bauche liegend... Einschuß hinter dem rechten Ohr... Kugel im Kopf stecken geblieben... wahrscheinlich aus einem 6,5 Browning...«

»In Waffen kennt er sich aus, der Murmann!« bemerkte Studer.

»... Taschen leer...«, sagte der Untersuchungsrichter.

»Was?« ganz scharf die Frage. »Haben Sie zufällig eine Lupe?« Alle Höflichkeit war aus Studers Stimme verschwunden.

»Eine Lupe? Ja. Warten Sie. Hier...«

Ein paar Augenblicke war es still. Durch einen Spalt der Fensterläden fiel ein Sonnenstrahl gerade auf Studers Haar. Schweigend betrachtete der Untersuchungsrichter den Mann, der da vor ihm hockte, den breiten, runden Rücken und die grauen Haare, die glänzten, wie das Fell eines Apfelschimmels.

»Das ist lustig«, sagte Wachtmeister Studer mit leiser

Stimme. (Was, zum Teufel, ist an der Photographie eines Ermordeten lustig! dachte der Untersuchungsrichter.) »Der Rock ist ja ganz sauber auf dem Rücken ...«

»Sauber auf dem Rücken? Ja, und?«

»Und die Taschen sind leer«, sagte Studer kurz, als sei damit alles erklärt.

»Ich versteh' nicht ...« Der Untersuchungsrichter nahm die Brille ab und putzte die Gläser mit seinem Taschentuch.

»Wenn ...«, sagte Studer und tippte mit der Lupe auf die Aufnahme. »Wenn Sie sich vorstellen, daß der Mann hier im Walde meuchlings überfallen worden ist, daß ihn einer von hinten niedergeschossen hat, so geht aus der Lage der Leiche hervor, daß der Mann vornüber aufs Gesicht gefallen ist. Nicht wahr? Er liegt also auf dem Bauch, rührt sich nicht mehr. Aber seine Taschen sind leer. Wann hat man die Taschen geleert?«

»Der Angreifer hätte den Witschi zwingen können, die Brieftasche auszuliefern ...«

»Nicht sehr wahrscheinlich ... Was sagt das Sektionsprotokoll, wann der Tod mutmaßlich eingetreten ist?«

Der Untersuchungsrichter blätterte in den Akten, eifrig, wie ein Schüler, der gerne vom Lehrer eine gute Note bekommen möchte. Merkwürdig, wie schnell die Rollen sich vertauscht hatten. Studer hockte immer noch auf dem unbequemen Stuhl, der sicherlich sonst für die vorgeführten Häftlinge bestimmt war, und doch sah es so aus, als ob *er* die ganze Angelegenheit in die Hand genommen hätte ...

»Das Sektionsprotokoll«, sagte der Untersuchungsrichter jetzt, räusperte sich trocken, rückte an seiner Brille und las: »Zertrümmerung des Occipitalknochens ... Mesencephalum ... steckengeblieben in der Gegend des linken ... Aber das wollen Sie ja alles nicht wissen ... Hier ... Tod approximativ zehn Stunden vor Auffindung der Leiche eingetreten ... Das wollten Sie wissen, Wachtmeister? Aufgefunden ist die Leiche zwischen halb acht und viertel vor acht Uhr morgens von Jean Cottereau, Obergärtner in den Baumschulen Ellenberger ... Der Mord wäre also ungefähr um zehn Uhr abends verübt worden.«

»Zehn Uhr? Gut. Wie stellen Sie sich die Szene vor? Der alte Witschi kommt von einer Tour zurück, er fährt mit seinem Zehnder ruhig nach Hause. Plötzlich wird er angehalten ... Schon da ist vieles nicht klar. Warum steigt er ab? Hat er Angst? ... Nehmen wir an, er sei angehalten worden. Gut, er wird gezwungen, seinen Karren an einen Baum zu lehnen, man treibt ihn in den Wald ... Warum nimmt ihm der Angreifer nicht auf der Straße die Brieftasche fort und drückt sich? ... Nein! Er zwingt den Witschi, mit ihm hundert Meter – es waren doch hundert Meter? – in den Wald zu gehen. Schießt ihn von hinten nieder. Der Mann fällt auf den Bauch ... Wollen Sie mir sagen, Herr Untersuchungsrichter, wann ihm die Brieftasche mit den verschwundenen dreihundert Franken aus der Tasche genommen worden ist?«

»Brieftasche? Dreihundert Franken? Warten Sie, Wachtmeister. Ich muß mich zuerst orientieren ...«

Stille. Eine Fliege summte dröhnend. Studer hatte sich kaum bewegt, sein Kopf blieb gesenkt.

»Sie haben recht ... Frau Witschi gibt an, ihr Mann habe am Morgen zu ihr gesagt, er werde wahrscheinlich am Abend hundertfünfzig Franken mitbringen. Es seien Rechnungen fällig. Hundertfünfzig Franken habe er noch besessen ... Telephonische Erkundigungen haben ergeben, daß wirklich zwei Kunden des Witschi ihre Rechnungen bezahlt haben. Die eine Rechnung betrug hundert Franken, die andere fünfzig ...«

»Die eine hundert und die andere fünfzig? Merkwürdig ...«

»Warum merkwürdig?«

»Weil der Schlumpf drei Hunderternoten in seinem Besitz gehabt hat. Eine, die er im ›Bären‹ gewechselt hat, und zwei, die ich ihm abgenommen habe. Wo ist die Brieftasche hingekommen?«

»Sie haben recht, Wachtmeister. Der Fall hat einige dunkle Punkte ...«

»Dunkle Punkte!« Studer zuckte die Achseln.

Ein ungemütlicher Mann, dachte der Untersuchungsrichter. Er war nervös wie seinerzeit beim Staatsexamen. Vielleicht war dieser Wachtmeister für Schmeichelei empfänglich ... Darum sagte er:

»Ich sehe, Wachtmeister, daß Ihre praktische kriminologische Schulung der meinigen überlegen ist ...«

Studer brummte irgend etwas.

»Was wollten Sie sagen?« Der Untersuchungsrichter legte die Hand ans Ohr, als wolle er kein Wort seines Gegenübers verlieren.

Aber Studer schien auf einmal vergessen zu haben, wo er sich befand. Denn er zündete umständlich eine Brissago an.

»Rauchen Sie nicht lieber eine Zigarette?« wagte der Untersuchungsrichter schüchtern zu fragen, denn er haßte den Brissagorauch. Er reichte dem Wachtmeister ein geöffnetes Etui über den Tisch. Studer schüttelte ablehnend den Kopf. Ihm, dem Wachtmeister Studer, Zigaretten mit Goldmundstück! …

Der Untersuchungsrichter fragte in die Stille:

»Wo haben Sie sich Ihre praktischen Kenntnisse angeeignet, Herr Studer?« Aber nicht einmal der Wechsel in der Anredeform – Herr Studer statt Wachtmeister – vermochte den schweigenden Mann aus seinem Grübeln zu wecken.

»Wie kommt es, daß Sie es mit Ihren Kenntnissen nicht wenigstens zum Polizeileutnant gebracht haben?«

Studer fuhr auf:

»Was? … Wie meinen Sie? … Haben Sie einen Aschenbecher?«

Der Untersuchungsrichter lächelte und schob eine Messingschale über den Tisch.

»Ich hab seinerzeit beim Professor Groß in Graz gearbeitet. Und warum ich es nicht weiter gebracht habe? Wissen Sie, ich hab' mir einmal die Finger verbrannt an einer Bankaffäre. Damals war ich Kommissär bei der Stadtpolizei … Ja, und während des Krieges … Nach der Bankaffäre bin ich in Ungnade gefallen und hab' wieder von unten anfangen müssen … Das gibt es … Aber was ich sagen wollte: wie gedenken Sie die Angelegenheit zu behandeln? Was für Schritte werden Sie unternehmen?«

Zuerst wollte der Untersuchungsrichter den Mann an seinen Platz verweisen, ihm klarmachen, hier habe *er* zu befehlen, *er* trage schließlich die Verantwortung für die Untersuchung … Aber dann verwarf er diese Aufwallung. Der Blick Studers hatte etwas so Erwartungsvoll-Ängstliches … Darum sagte er ziemlich versöhnlich:

»Nun, wie gewohnt, denk ich. Die Familie Witschi vorladen, den Meister des ... des ... Angeklagten ...«

»Schlumpf Erwin«, unterbrach Studer, »vorbestraft wegen Einbruch, Diebstahl und anderer kleinerer Delikte ...«

»Ganz richtig. Im Grunde also eine Persönlichkeit, der man das Verbrechen gut zutrauen könnte, nicht wahr?«

»Schon ... möglich ...« Pause. »Aber auch ein Vorbestrafter kann nicht zaubern ... Und der Schlumpf wird nicht das Maul auftun ... Sie werden lange fragen können. Der läßt sich lebenslänglich nach Thorberg schicken – und wenn er einmal dort ist, hängt er sich wieder auf. Im Grund ist es schad' um den Burschen ... Ja, es ist schad' um ihn ...«

»Ihre Menschlichkeit in Ehren, Herr Studer, aber ... Wir haben eine Untersuchung zu führen, oder?«

»Ja, ja ... Übrigens ist die Leiche noch in Gerzenstein?«

Wieder blätterte der Untersuchungsrichter in den Akten.

»Sie ist am Mittwochabend ins Gerichtsmedizinische Institut überführt worden. Der Regierungsstatthalter von Roggwil hat das angeordnet ...«

Studer zählte an den Fingern ab:

»Am Mittwoch, dem dritten Mai um halb acht Uhr morgens wird die Leiche gefunden. Gegen Mittag die erste Obduktion von Doktor ... Doktor ... Wie heißt er schon?«

»Dr. Neuenschwander.«

»Neuenschwander. Gut. Mittwochabend wechselt Schlumpf die Hunderternote im ›Bären‹. Donnerstag

Flucht. Heute, Freitag, verhafte ich ihn bei seiner Mutter. Wann ist die Leiche ins Gerichtsmedizinische Institut gebracht worden?«

»Mittwochabend ...«

»Wann glauben Sie, können wir den Rapport vom Institut haben?«

»Ich habe gedacht, wir könnten den Angeklagten mit der Leiche konfrontieren. Was meinen Sie dazu?« Die Frage war höflich, aber der Untersuchungsrichter dachte dabei: Wenn der Kerl nur bald abschieben würde, die Brissago stinkt, er ist aufdringlich, ich werde mich bei der Behörde beschweren, aber was nützt mir das? Deswegen werd' ich ihn doch nicht so bald los. Also seien wir freundlich ...

»Konfrontieren?« wiederholte Studer. »Damit er wieder einen Fluchtversuch macht?«

»Was? Er hat Ihnen durchbrennen wollen? Und Sie haben mir nichts davon gesagt?«

Studer sah den Untersuchungsrichter mit seinen ruhigen Augen an. Er zuckte die Achseln. Was sollte man auf solche Fragen antworten?

»Ich will ganz offen mit Ihnen sein, Herr Untersuchungsrichter«, sagte Studer plötzlich, und seine Stimme klang merkwürdig dumpf und erregt. »Wir haben lange genug herumgeredet. Sie denken bei sich: Dieser alte, abgesägte Fahnder, der knapp vor der Pensionierung steht, will sich wichtig machen. Er drängt sich auf. Ich werd ihm aber schon aufs Dach geben lassen. Heut am Abend noch, sobald er fort ist, telephoniere ich an die Polizeidirektion und beschwere mich ...«

Schweigen. Der Untersuchungsrichter hatte einen Bleistift in der Hand und zeichnete Kreise aufs Löschblatt. Studer stand auf, packte die Lehne des Stuhles, schwang den Stuhl herum, bis er vor ihm stand, stützte sich auf die Lehne – und die Brissago qualmte, die zwischen zwei Fingern stak – und dann sagte er:

»Ich will Ihnen etwas sagen, Herr Untersuchungsrichter. Ich reiche gern meine Demission ein, wenn der Fall nicht so untersucht wird, wie ich es wünsche. Aber wenn ich dann demissioniert habe, dann kann ich machen, was ich will. Es wird lustig werden. Ich hab' dem Schlumpf versprochen, seine Sache in die Hand zu nehmen ...«

»Sind Sie Fürsprech geworden, Wachtmeister?« warf der Untersuchungsrichter spöttisch ein.

»Nein. Aber ich kann ja einen nehmen. Einen, der die ganze Anklage über den Haufen wirft – während der Schwurgerichtsverhandlung. Wenn Sie das lieber wollen? Aber Sie müssen sich das recht lebhaft vorstellen! Sie werden als Zeuge von der Verteidigung vorgeladen werden, und dann wird man Ihnen alle Fehler der Voruntersuchung vorhalten ... Wird Ihnen das gefallen?«

Der Kerl ist ja ganz verrückt! dachte der Untersuchungsrichter. Der richtige Querulant! Warum hat man gerade diesen Studer zur Verhaftung abkommandiert! Ein Gerechtigkeitsfanatiker! Daß es so etwas noch gibt! Ich habe die ganze Zeit eingelenkt ... Kann der Mann denn Gedanken lesen? Dumme Geschichte! Und wenn dieser Schlumpf unschuldig ist, dann gibt es womöglich einen Skandal, Leute geraten in Verdacht. Es wird doch besser sein, ich arbeite mit dem Kerl ... Laut sagte er:

»Das hat ja alles keinen Sinn, Wachtmeister. Ich weiß nur

wenig von der Sache. Und drohen? Warum fahren Sie gleich so schweres Geschütz auf? Hab' ich mich geweigert, Sie anzuhören? Sie sind ungeduldig, Herr Studer. Wir können doch ganz ruhig die Sache besprechen. Sie sind sehr empfindlich, Wachtmeister, scheint mir, aber Sie müssen denken, daß andere Leute manchmal auch Nerven haben ...«

Der Untersuchungsrichter wartete, und während des Wartens starrte er auf die qualmende Brissago in Studers Hand ...

»Ach so!« sagte Studer plötzlich. »Das also ...« Er ging zum Fenster, stieß die Läden auf und warf die Brissago hinaus. »Ich hätt' daran denken sollen. Leute wie Sie ... War das der Grund? Ich hab's gespürt, daß Sie etwas gegen mich haben, und gedacht, es sei wegen dem Schlumpf ... Und dann war's nur die Brissago?« Studer lachte.

Komischer Mensch! dachte der Untersuchungsrichter. Versteht doch allerhand! ... Der Brissagorauch! Kann so etwas eine feindliche Stimmung auslösen? ... In diese Gedanken hinein sagte Studer:

»Merkwürdig. Manchmal ist es nur eine unbedeutende Angewohnheit, die uns bei einem Menschen auf die Nerven fällt: das Rauchen einer schlechten Zigarre zum Beispiel. Bei mir sind's die teuren Zigaretten mit Goldmundstück ...« Und setzte sich wieder:

»So, so«, sagte der Untersuchungsrichter nur. Aber innerlich fühlte er allerhand Hochachtung für den Gedankenleser Studer. Und dann meinte er:

»Ich möchte jetzt den Schlumpf, Ihren Schützling, vorführen lassen. Wollen Sie dabei sein?«

»Doch. Gern. Aber vielleicht sind Sie so gut ...«

»Ja, ja«, der Untersuchungsrichter lächelte, »ich werd' ihn schon so behandeln, daß er sich nicht wieder aufhängt, wenigstens vorläufig ... Ich kann nämlich auch anders ... Und ich will mit dem Staatsanwalt reden. Wenn eine weitere Untersuchung nötig sein sollte, fordern wir *Sie* an ...«

Billard und Alkoholismus chronicus

Studer stieß zu. Die weiße Kugel rollte über das grüne Tuch, klickte an die rote, traf die Bande und sauste haarscharf an der zweiten weißen Kugel vorbei.

Studer stellte die Queue auf den Boden, blinzelte und sagte ärgerlich:

»Bitzli z'wenig Effet.«

Und gerade in diesem Augenblicke hörte er zum ersten Male die dröhnende Stimme, die er noch oft hören sollte.

Die Stimme sagte:

»Und glaub mir, in der Affäre Witschi ist auch nicht alles Bock; glaub mir nur, da stimmt etwas nicht... und das weißt du ja auch. Daß sie den Schlumpf geschnappt haben...« Mehr konnte Studer nicht verstehen. Die Stille, die einen Augenblick über dem Raum geschwebt hatte, zersprang, der Lärm der Gespräche setzte wieder ein. Studer drehte sich um und sah sich an dem Mann mit der merkwürdig dröhnenden Stimme fest.

Der war hochgewachsen, mit einem mageren, zerfurchten Gesicht. Er saß in einer Ecke des Cafés an einem Tischchen zusammen mit einem kleinen Dicken. Der Dicke nickte, nickte ununterbrochen, während der magere Alte den Ellbogen aufgestützt hatte und mit aufgerecktem Zeigefinger weitersprach. Die Lippen waren fast unsichtbar – dem Mann mußten alle Zähne fehlen. Jetzt senkte der Alte die Hand, hob das Glas zerstreut zum Mund, merkte plötzlich, daß es leer war: da zerbrach ein sehr sanftes Lächeln den harten Mund, so, wie einer lächelt, der sich selbst nicht ganz ernst nimmt.

»Rösi«, sagte er zur Kellnerin, die gerade vorbeikam, »Rösi, noch zwei Becher.«

»Ja, Herr Ellenberger.« Die rothaarige Kellnerin ließ sich die Hand tätscheln. Sie sah aus wie eine Katze, die gerne schnurren möchte, aber auf der Suche nach einem ruhigen Platz ist, wo sie dies ungestört tun kann.

»*Du* kommst ...«, sagte Studers Spielpartner, der Notar Münch, der einen hohen steifen Kragen um seinen dicken Hals trug. Und während Studer mit verkniffenen Augen die Stellung der Kugeln prüfte, dachte er immerfort: Ellenberger? Ellenberger? Und redet von der Affäre Witschi? Und während er weiter dachte, ob es wohl dieser Ellenberger sei, Baumschulenbesitzer in Gerzenstein, Meister des Schlumpf, verfehlte er natürlich seinen Stoß. Er hatte nicht richtig eingekreidet, die Spitze der Queue sprang mit einem unangenehm hohen Gix von der Kugel ab.

Das Billardtuch, mit der sehr hellen, nach unten abgeblendeten Lampe darüber, warf einen grünen Schein in die Luft und gab dem Rauch, der leise durch die Luft wogte, eine kuriose Farbe. Ein Lachen, das wie ein Krächzen klang, kam vom Tisch des alten Ellenberger, aber nicht der Alte hatte gelacht, sondern sein Begleiter, der kleine Dicke. Und in die Stille, die dem Lachen folgte, hörte Studer den alten Ellenberger sagen:

»Ja, der Witschi, der war nicht dumm. Aber der Aeschbacher. Ein zweitägiges Kalb ist minder ...«

»Was ist los, Studer?« fragte der Notar Münch. Keine Antwort.

Die Affäre Witschi schien wirklich verhext zu sein.

Jetzt hatte Studer gemeint, sie diesen Abend wenigstens vergessen zu können.

Aber natürlich: da kam man ins Café zum Billardspielen und ausgerechnet mußte dieser Ellenberger auch hier hokken und laut über die Affäre Witschi reden. Dann war es natürlich mit der Ruhe vorbei ...

Der Rücken des Ermordeten auf der Photographie ... Der Rücken, auf dem *keine* Tannennadeln hafteten ... Die Wunde im Hinterkopf ... Die kuriosen Vornamen der Familienmitglieder ... Wendelin hieß der Vater, die Tochter Sonja, der Sohn Armin. Vielleicht hieß die Mutter Anastasia? ... Warum nicht?

Witschi ... der Name klang wie Spatzengetschilp. Der Wendelin Witschi, der auf einem Zehnder den Commisvoyageur machte und in einem Wald erschossen aufgefunden wurde ... Die Frau Witschi, die im Bahnhofkiosk hockte und Romane las ...

Und während Studer auf seine Billardqueue gestützt, dem Spiele des Notars zusah, der heute abend in Form zu sein schien, hörte er wieder die angenehm dröhnende Stimme sagen:

»Was macht wohl unser Schlumpf? Was meinst, Cottereau? Haben sie ihn wohl geschnappt, die Tschucker?«

Das Wort »Tschucker« gab Studer einen Ruck. Er war abgebrüht gegen den Spott, dem man als Fahnder ausgesetzt war. Einzig dieses verfluchte Wort mit dem unangenehmen »U« machte ihn wild. Es klinge so vollgefressen, hatte er einmal zu seiner Frau geäußert. Und als er es jetzt aus des alten Ellenbergers Munde hörte, riß es ihn herum, und er starrte auf den Mann.

Er begegnete dem Blick eines Augenpaares, und dieser Blick war ungemütlich. Studer hielt ihn nicht lange aus. Merkwürdige Augen hatte der Ellenberger: kalt wirkten sie, die Pupillen waren fast schlitzförmig, wie bei einer Katze. Und die Iris blaugrün, sehr hell.

»Revanche?« fragte der Notar Münch. Er hatte stillschweigend eine Serie gemacht und war jetzt fertig.

Studer schüttelte den Kopf.

»Kennst du den dort drüben?« fragte er und deutete mit dem Daumen über die Schulter. Der Notar Münch schraubte seinen Kopf aus dem hohen Kragen. »Den Alten dort? Den, der mit dem Dicken zusammenhockt? Denk wohl! ... Das ist der Ellenberger. Er war heut' bei mir. Wegen einem gewissen Witschi ... Eh, du hast doch von den Leuten gehört. Der Witschi, der vor ein paar Tagen umgebracht worden ist. Der war dem Ellenberger Geld schuldig ... Den Witschi hab' ich auch einmal gesehen ...«

Der Notar Münch schwieg und machte mit seiner rechten Hand, die wie eine Flosse aussah, beschwichtigende Bewegungen. Und als Studer sich umwandte, gewahrte er den alten Ellenberger, der dem Notar winkte, näherzukommen.

Münch ging quer durch den Raum. Drüben, am runden Tischchen, schüttelte er dem alten Ellenberger die Hand und winkte dann Studer näherzukommen. Der Wachtmeister wurde vorgestellt, es erwies sich, daß Ellenberger und Studer sich vom Hörensagen kannten. Übrigens war

Ellenbergers Hand mit Tupfen übersät, die in der Farbe an dürres Buchenlaub erinnerten.

»Hat es Euch beleidigt, Wachtmeister Studer, daß ich vorhin ›Tschucker‹ gesagt habe? Ich hab gesehen, wie Ihr gezuckt habt wie ein junges Roß, wenn es die Geißel klepfen hört.«

Das sei so ähnlich, meinte Studer, wie bei den Gärtnern, die hätten es auch nicht gern, wenn man sie »Krauterer« nenne. Oder nicht?

Der Ellenberger lachte ein tiefes Baßlachen, zwinkerte mit den faltigen Lidern, saugte die Lippen zwischen die Bilgeren und schwieg. Sein Gesicht blieb eine lange Weile starr; es wirkte uralt und grotesk.

Sie saßen um den kleinen Tisch und hatten nicht richtig Platz. Neben ihnen stand ein Fenster offen, es war schwül, ein heißer Wind strich draußen vorbei, und der Himmel war mit einer giftig-grauen Salbe verschmiert.

Die Kellnerin hatte unaufgefordert vier hohe Gläser mit Bier auf den Tisch gestellt.

»G'sundheit«, sagte Studer, hob das Glas, kippte es in den Mund, setzte es ab. Weißer Schaum blieb an seinem Schnurrbart kleben. »Aaah ...«

Mit Daumen und Zeigefinger ließ der Ellenberger sein Glas langsame Tänze auf der Kartonunterlage ausführen. Dann fragte er plötzlich:

»Wißt Ihr etwas vom Schlumpf?«

– Er habe ihn heut morgen verhaftet ... sagte Studer leise.
– Wo? – Bei der Mutter.

Schweigen. Der alte Ellenberger schüttelte den Kopf, so, als sei ihm irgend etwas nicht klar.

– Die Tschu... die Fahnder hätten nicht immer eine schöne Büetz, meinte er dann trocken. Den Sohn von der Mutter wegholen... Er, für sein Teil, tue lieber Rosen okulieren oder allenfalls im Winter rigolen.

Der Notar Münch trommelte verlegen auf der Marmorplatte und schraubte an seinem Hals. Der kleine Dicke, der Cottereau hieß und also jener Obergärtner war, der die Leiche gefunden hatte, schneuzte sich in ein großes rotes Taschentuch.

Studer ließ das Schweigen über dem Tisch liegen und blickte am alten Ellenberger vorbei durchs Fenster.

»Und? Wie gehts dem Schlumpf?« fragte der Alte böse.

»Oh«, sagte Studer ruhig, »er hat sich aufgehängt.«

Der Notar schmatzte hörbar, er blickte seinen Freund Studer verblüfft an, aber der Ellenberger sprang vom Stuhl auf, stützte die Fäuste auf den Tisch und fragte laut:

»Was sagst du? Was sagst du?«

»Ja«, wiederholte Studer friedlich, »er hat sich aufgehängt. Ihr scheint Euch sehr für den Burschen zu interessieren?«

»Ah bah!« wehrte der Ellenberger ab. »Ich hab ihn nicht ungern gesehen. Er hat sich gut gehalten bei mir... Und jetzt ist er tot... So, so... Der Zweite, den die alte Hex' auf dem Gewissen hat, sie und ihr... und ihr...« Der Ellenberger unterbrach sich. »Also tot ist er?« fragte er noch einmal.

– Das habe er nicht gesagt, meinte Studer und betrachtete kritisch seine Brissago. Er sei noch zur rechten Zeit gekommen, um den Schlumpf – man könne ja sagen: zu retten, obwohl...

»Also ist er nicht tot? Und wo ist er jetzt, der Schlumpf?«

»In Thun«, sagte Studer gemütlich und versteckte seine Augen unter seinen Lidern. »In Thun, in der Kischte.« Er, Studer, habe auch mit dem Untersuchungsrichter geredet, ein gäbiger Mann, der Fall sei nicht hoffnungslos, aber dunkel, dunkel ... Das sei das Elend.

»Und das Gericht will klare Fälle, das gibt schöne Verhandlungen ... Aber der Schlumpf leugnet alles ab, der Fall kommt vor die Assisen, natürlich ... Und man weiß ja, wie Geschworene sind ...« Das alles unterbrochen von langen Zügen, abwechselnd am Bierglas und an der Brissago.

»Aber«, fuhr Studer fort, »Ihr habt da einen Satz nicht beendigt. Wen habt Ihr gemeint mit der Hexe? Die Frau Witschi?«

Ellenberger wich der Frage aus.

»Wenn Ihr etwas wissen wollt, Wachtmeister, müßt Ihr nach Gerzenstein kommen, Euch das Kaff anschauen. Es lohnt sich ...« Dann seufzend: »Ja, der Witschi hat's nicht gut gehabt. Hat mir oft geklagt, der alte Schnapser ... Aber viele saufen ... Heiratet nie, Wachtmeister.«

– Er sei schon verheiratet, sagte Studer, und könne nicht klagen. – So, geschnapst habe der Witschi? – Ja, meinte der Ellenberger, so arg, daß der Aeschbacher, der Gemeindepräsident – der Mann schaue aus wie eine Sau, die den Rotlauf habe – den Witschi habe nach Hansen versenken wollen ... (Hansen nennt man im Kanton Bern die Arbeitsanstalt St. Johannsen).

Nach einer Weile fragte der Ellenberger:

»Hat er von mir gesprochen, der Erwin?«

Studer bejahte. Der Schlumpf habe seinen Meister gerühmt. Seit wann denn der Ellenberger der Fürsorge für entlassene Sträflinge beigetreten sei?

»Fürsorge?« Die Fürsorge könne ihm gestohlen werden. Er brauche billige Arbeitskräfte, voilà tout. Und daß er die Burschen anständig behandle, das gehöre zum Geschäft, sonst würden sie ihm wieder drauslaufen. Er, der Ellenberger, sei zuviel in der Welt herumgekommen, die braven Leute brächten ihn zum Kotzen, aber die schwarzen Schafe, wie man so schön sage, die sorgten für Abwechslung. Von einem Tag auf den andern könne man in der schönsten Kriminalgeschichte drinnen stecken, an einem Mordfall beteiligt sein, par exemple, und dann werde es spaßig.

Der alte Ellenberger stand auf:

»Ich muß heim, Wachtmeister, komm, Cottereau ... Ich denk, wir werden uns noch einmal sehen ... Besuchet mich dann, wenn Ihr nach Gerzenstein kommt ... Läbet wohl ...«

Der alte Ellenberger winkte der Kellnerin, sagte: »Alles«, gab ein zünftiges Trinkgeld. Dann schritt er zur Tür. Das letzte, das Wachtmeister Studer an dem Alten feststellte, war sicher merkwürdig genug: Der Ellenberger trug zu einem schlechtsitzenden Anzug aus Halbleinen ein Paar braune, moderne Halbschuhe. Die schwarzen Socken, die unter den zu kurzen Hosen hervorlugten, waren aus schwarzer Seide ...

Am nächsten Morgen schrieb Wachtmeister Studer seinen Rapport. Das Bureau roch nach Staub, Bodenöl und kaltem Zigarrenrauch. Die Fenster waren geschlossen. Draußen regnete es, die paar warmen Tage waren eine Täuschung gewesen, ein saurer Wind blies durch die Straßen und Studer war schlechter Laune. Wie sollte man diesen Rapport schreiben? Vielmehr, was schreiben, was auslassen?

Da rief eine Stimme von der Türe her seinen Namen.

»Wa isch los?«

»Der Untersuchungsrichter von Thun hat telephoniert. Du sollst nach Gerzenstein fahren ... Du hast doch gestern den Schlumpf verhaftet! Wie ist's gegangen?«

– Der Schlumpf habe ihm durchbrennen wollen auf dem Bahnhof, sagte Studer, aber es habe nicht gelangt. Dabei blieb er sitzen und schaute von unten her auf den Polizeihauptmann.

»Eh«, sagte der Hauptmann, »dann laß den Rapport sein. Kannst ihn später schreiben. Fahr jetzt ab. Am besten wär's, du würdest noch ins Gerichtsmedizinische gehen. Vielleicht erfährst du etwas.«

Das habe er sowieso machen wollen, sagte Studer brummig, stand auf, nahm seinen Regenmantel, trat vor einen kleinen Spiegel und bürstete seinen Schnurrbart. Dann fuhr er zum Inselspital.

Der Assistent, der ihn empfing, trug eine wunderbar rot und schwarz gewürfelte Krawatte, die unter dem steifen Umlegkragen zu einem winzigen Knötchen zusammengezogen war. Wenn er sprach, legte er die Finger der einen Hand flach auf den Ballen der anderen und musterte mit kritischer, leicht angeekelter Miene seine Fingernägel.

»Witschi?« fragte der Assistent. »Wann ist er gekommen?«

»Mittwoch, Mittwochabend, Herr Doktor«, antwortete Studer und gebrauchte sein schönstes Schriftdeutsch.

»Mittwoch? Warten Sie, Mittwoch sagen Sie? Ach, ich weiß jetzt, die Alkoholleiche...«

»Alkoholleiche?« fragte Studer.

»Ja, denken Sie, 2,1 pro Mille Alkoholkonzentration im Blut. Der Mann muß gesoffen haben, bevor er erschossen wurde... Na, ich sage Ihnen, Herr Kommissär..«

»Wachtmeister«, stellte Studer trocken fest.

»Wir sagen bei uns Kommissär, es klingt besser. Verstehen Sie, bitte, nicht nur die Alkoholkonzentration, aber der Zustand der Organe, ich sage Ihnen, Herr Kommissär, so eine schöne Lebercirrhose habe ich noch nie gesehen. Fabelhaft, sage ich Ihnen. War der Mann nie in einer Irrenanstalt? Nicht? Nie weiße Mäuse gesehen oder Kinematograph an der Wand? Kleine Männer, die tanzen, wissen Sie? So einen schönen, richtiggehenden Delirium tremens? Nie gehabt? Ah, Sie wissen nicht. Schade. Und ist erschossen worden! Schätzungsweise eine Meter Distanz, keine Pulverspuren auf der Haut, darum ich sage eine Meter. Sie verstehen?«

Studer grübelte während des Wortschwalles über eine ganz nebensächliche Frage nach: welcher Nationalität der junge Mann mit dem kleinen Krawattenknötchen angehören könne... Endlich, auf das letzte: »Sie verstehen?« war er im Bilde.

»Parla italiano?« fragte er freundlich.

»Ma sicuro!« Der Freudenausbruch des andern war nicht mehr zu bremsen und Studer ließ ihn lächelnd vorbeirauschen.

Der Assistent war so begeistert, daß er Studers Arm zärtlich unter den seinen nahm und ihn in das Innere führte. Der

Professor sei noch nicht da, aber er, der Assistent, sei genau so auf dem laufenden wie der Professor. Er habe selbst die Sektion gemacht. Studer fragte, ob er Witschi noch sehen könne. Das war möglich. Witschi war konserviert worden. Und bald stand Studer vor der Leiche.

Dies also war der Witschi Wendelin, geboren 1882, somit fünfzig Jahre alt: eine riesige Glatze, gelb wie altes Elfenbein; ein armseliger Schnurrbart, hängend, spärlich; ein weiches, schwammiges Doppelkinn... Am merkwürdigsten aber wirkte der ruhige Ausdruck des Gesichtes.

Ruhig, ja. Jetzt, im Tode. Aber es waren doch viel Runzeln in dem Gesicht... Gut, daß der Mann Witschi seine Sorgen los war...

Auf alle Fälle war es aber kein Säufergesicht und darum sagte Studer auch:

»Er sieht eigentlich nicht aus wie ein Wald- und Wiesenalkoholiker...«

»Wald- und Wiesenalkoholiker! Wunderbarer Ausdruck!«

Die beiden begannen zu fachsimpeln. Zwischen ihnen lag noch immer der Körper des toten Witschi. So wie er dalag, war die Wunde hinter dem Ohr nicht zu sehen. Und während Studer mit dem Italiener über einen Fall von Versicherungsbetrug diskutierte, der in der Fachliteratur Aufsehen erregt hatte (ein Mann hatte sich erschossen und den Selbstmord als Mord kamoufliert), fragte Studer plötzlich:

»So etwas wäre hier nicht möglich, nicht wahr?« und er deutete mit dem Zeigefinger auf die Leiche.

»Ausgeschlossen«, sagte der Italiener, der sich inzwischen als Dr. Malapelle aus Mailand vorgestellt hatte.

»Ganz absolut unmöglich. Um die Wunde hervorzubringen, müßte er gehalten haben seinen Arm so: ...« Und er demonstrierte die Bewegung mit ganz zum Schulterblatt hin verdrehtem Ellbogen. Statt des Revolvers hielt er seinen Füllfederhalter in der Hand. Die Spitze des Füllfederhalters war nur etwa zehn Zentimeter von der Stelle hinter dem rechten Ohr entfernt, an der an der Leiche die Einschußöffnung zu sehen war.

»Ausgeschlossen«, wiederholte er. »Es hätte Pulverspuren gegeben. Und gerade weil es keine solchen hat gegeben, haben wir geschlossen, die Distanz hat sein müssen mehr als ein Meter.«

»Hm«, meinte Studer. Er war nicht ganz überzeugt. Er schlug das Tuch zurück, das über dem Toten lag. Merkwürdig lange Arme hatte der Witschi ...

»Ergebenheit!« sagte Studer laut, so, als habe er endlich ein lang gesuchtes Wort gefunden. Es bezog sich auf den Gesichtsausdruck des Toten.

»Fatalismo! Ganz richtig! Er hat gewußt, es ist alles aus. Aber ich weiß nicht, ob er hat gewußt, er muß sterben ...«

»Ja«, gab Studer zu, »es kann sein, daß er etwas anderes erwartet hat. Aber etwas, gegen das man nicht ankämpfen kann ...«

Felicitas Rose und Parker Duofold

Das Mädchen las einen Roman von Felicitas Rose. Einmal hielt sie das Buch hoch, so daß Studer den Umschlag sehen konnte: ein Herr in Reithosen und blanken Stiefeln lehnte an einer Balustrade, im Hintergrunde schwammen Schwäne auf einem Schloßteich und ein Fräulein in Weiß spielte verschämt mit ihrem Sonnenschirm.

»Warum lesen Sie eigentlich solchen Mist?« fragte Studer. – Es gibt gewisse Leute, die überempfindlich auf Jod und Brom sind, Idiosynkrasie nennt man dies ... Studers Idiosynkrasie bezog sich auf Felicitas Rose und Courths-Mahler. Vielleicht, weil seine Frau früher solche Geschichten gerne gelesen hatte – nächtelang – dann war am Morgen der Kaffee dünn und lau gewesen und die Frau schmachtend. Und schmachtende Frauen am Morgen ...

Das Mädchen sah bei der Frage auf, wurde rot und sagte böse: »Das geht Euch nichts an!« versuchte weiter zu lesen, aber dann schien es ihr doch zu verleiden, sie klappte das Buch zu und steckte es in eine Aktenmappe, in der, wie Studer feststellte, noch zwei schmutzige Taschentücher, ein Füllfederhalter von imposanter Dicke und eine Handtasche verstaut waren. Dann blickte das Mädchen zum Fenster hinaus.

Studer lächelte freundlich und betrachtete es aufmerksam. Er hatte Zeit ...

Der Zug kroch durch eine graue Landschaft. Regentropfen zogen punktierte Linien aufs Glas, dann flossen sie, unten am Fenster, zu kleinen trüben Seelein zusammen. Und andere Regentropfen punktierten aufs neue die Scheibe... Hügel stiegen auf, ein Wald verbarg sich im Nebel...

Das Kinn des Mädchens war spitz. Laubflecken auf dem Nasensattel und an den sehr weißen Schläfen... Die hohen Absätze an den Schuhen waren an der Innenseite schief getreten. Sobald sich der Schuh verschob, ließ er ein Loch im dunklen Strumpf sehen, hinten, über der Ferse.

Das Mädchen hatte ein Abonnement gezeigt. Es mußte die Strecke oft fahren. Wohin fuhr sie? Etwa auch nach Gerzenstein? Sie trug ein kleines Knötchen im Nacken, eine Baskenmütze über das rechte Ohr gezogen. Das blaue Béret war staubig.

Studer lächelte väterlich milde, als ihn ein Blick des Mädchens streifte. Aber das Väterlich-Milde zog nicht. Das Mädchen starrte zum Fenster hinaus.

Unruhig zuckten die Hände. Die kurzgeschnittenen Nägel hatten einen Trauerrand. Auf der Innenseite des rechten Zeigefingers war ein Tintenfleck.

Noch einmal öffnete das Mädchen die Mappe, kramte darin, fand schließlich das Gesuchte.

Es war ein dicker, echter Parker Duofold, ein ausgesprochen männlicher Füllfederhalter von brauner Farbe.

Das Mädchen schraubte die Hülse ab, probierte die Feder auf dem Daumennagel, holte sich noch einmal Felicitas Rose aus der Mappe, aber nicht, um darin zu lesen: die letzte Seite sollte als Übungsfeld dienen. Sie kritzelte. Studer starrte auf die Buchstaben, die entstanden:

»Sonja ...« stand da. Und dann formte die Feder andere Buchstaben:

»Deine Dich ewig liebende Sonja ...«

Studer wandte den Blick ab. Wenn das Mädchen jetzt aufsah, dann wurde es sicher verlegen oder böse. Man soll Leute nicht nutzlos böse oder verlegen machen. Man muß es ohnehin nur allzu oft tun, wenn man den Beruf eines Fahnders ausübt ...

Der Zugführer ging durch den Wagen. An der Tür, die zum nächsten Abteil führte, wandte sich der Mann um:

»Gerzenstein«, sagte er laut.

Das Mädchen behielt den Füllfederhalter in der Hand, ließ Felicitas Rose mit dem schönen Grafen in gewichsten Reitstiefeln in der Mappe verschwinden und stand auf.

Ein Transformatorenhäuschen. Viele Einfamilienhäuser. Dann ein größeres Haus. Ein Schild darauf: »Gerzensteiner Anzeiger. Druckerei Emil Aeschbacher«. Daneben, im Garten, ein Käfig aus Drahtgeflecht. Kleine bunte Sittiche hockten verfroren auf Stangen. Die Bremsen schrieen. Studer stand auf, packte seinen Koffer am Griff und schritt zur Tür. Seine Gestalt im blauen Regenmantel füllte den Gang aus.

Es tröpfelte noch immer. Der Stationsvorstand hatte einen dicken Mantel angezogen, seine rote Mütze war das einzig Farbige in all dem Grau. Studer trat auf ihn zu und fragte ihn, wo hier der Gasthof zum »Bären« sei.

»Die Bahnhofstraße hinauf, dann links, das erste große Haus mit einem Wirtsgarten daneben ...« Der Stationsvorstand ließ Studer stehen.

Wo war das Mädchen geblieben? Das Mädchen, das auf

die letzte Seite eines broschierten Romans mit kleiner, etwas zittriger Schrift geschrieben hatte: »Deine Dich ewig liebende Sonja ...« Sonja? Es hießen nicht viele Mädchen Sonja ...

Dort stand das Mädchen, vor dem Kiosk, dessen Fenster mit farbigen Einbänden tapeziert war. Es beugte sich zum kleinen Schiebfenster und Studer hörte es sagen:

»Ich geh jetzt heim, Mutter. Wann kommst du?«

Ein Gemurmel war die Antwort.

Also doch die Sonja Witschi ... Und die Mutter mußte man sich auch gleich ansehen. Die Mutter, die durch die Vermittlung des Herrn Gemeindepräsidenten Aeschbacher den Bahnhofkiosk erhalten hatte.

Frau Witschi hatte die gleiche spitze Nase, das gleiche spitze Kinn wie ihre Tochter.

Studer kaufte zwei Brissagos, dann schlenderte er über den Bahnhofplatz. Eine Bogenlampe. Um ihren Sockel ein Beet mit roten, steifen Tulpen. Aus einem der oberen Fenster des Bahnhofes schmetterte ein Lautsprecher den Deutschmeistermarsch. Etwa fünfzig Schritte vor dem Wachtmeister ging das Mädchen Sonja.

Vor einem Coiffeurladen stand ein bleicher Jüngling, der einen weißen Mantel mit blauen Aufschlägen trug. Sonja trat auf den Jüngling zu, Studer blieb vor einem Laden stehen. Er schielte zu dem Paar hinüber, das sich flüsternd unterhielt, dann reichte das Mädchen dem Jüngling einen Gegenstand und trippelte davon. Aus der Tür des Coiffeurladens quoll eine knödlige Stimme: »Sie hören jetzt das Zeitzeichen des chronometrischen Observatoriums in Neuchâtel ...« Und gedämpft, durch die geschlossene Türe drang aus dem Laden, vor dem Studer stand, der »Sambre et Meuse«-Marsch ...

»Das Dorf Gerzenstein liebt Musik ...«, stellte der Wachtmeister bei sich fest und betrat den Coiffeurladen.

Er stellte den Koffer ab, hing seinen blauen Regenmantel an den Ständer und nahm aufseufzend in einem Fauteuil Platz.

»Rasieren«, sagte er.

Als der Jüngling sich über Studer beugte, sah der Wachtmeister zwischen den blauen Aufschlägen des Friseurmantels, im oberen Westentäschchen, den dicken Füllfederhalter, den das Mädchen Sonja im Zuge aus der Mappe genommen hatte.

Studer fragte aufs Geratewohl:

»Gäbig, he? Wenn man eine Freundin hat, die einem einen teuren Füllfederhalter schenkt?«

Einen Augenblick blieb der schaumige Pinsel über seiner Wange hängen. Studer betrachtete die Hand, die den Pinsel hielt. Sie zitterte. Also stimmte etwas nicht. Aber was? Studer sah im Spiegel das Gesicht des Jünglings. Es war käsig. Die allzu roten Lippen waren geschürzt und ließen die oberen Zähne sehen, die bräunlich und schadhaft waren. Hatte sich Sonja in diesen Ladenschwengel verliebt? Da war doch der Schlumpf ein anderer Bursch, trotz seiner Vergangenheit, trotz seiner Verzweiflung gestern ... Gestern? War das erst gestern gewesen? – Da hing einer am Fensterkreuz, da schrie einer in der Zelle, in der noch die Kälte des Winters hockte – und draußen vor den Fenstern sang eine Kleinmädchenstimme:

»Allewil, allewil blib i dir treu ...« – – –

Sanft strich der Pinsel wieder über Studers Wangen.

– Ob er ihn denn so erschreckt habe, fragte Studer den käsigen Jüngling. Der schüttelte den Kopf. Studer beruhigte ihn weiter. – Da sei doch weiter nichts dabei, wenn man von einer Freundin ein Geschenk erhalte. Obwohl es ihn immerhin merkwürdig dünke, daß ein Mädchen, das Löcher in den Strümpfen habe, so teure Füllfederhalter verschenken könne...

– Der Füllfederhalter sei eine Erbschaft vom Vater... Ja eine Erbschaft.

Die Stimme des Jünglings war heiser, so, als ob Mund, Zunge, Rachen ausgedörrt seien.

In der Ecke schnatterte der Lautsprecher – und plötzlich gab es Studer einen Ruck. Was der Mann irgendwo, ganz fern, am Mikrophon erzählte, ging auch ihn an. Der Jüngling, der abwesend mit dem Pinsel in dem Becken gerührt hatte, stellte seine Tätigkeit ein und verharrte reglos.

Besonders eindringlich sagte die ferne Stimme:

»Bevor wir unser Mittagskonzert fortsetzen, habe ich Ihnen noch eine kurze Mitteilung der kantonalen Polizeidirektion Bern zu machen: Seit gestern abend wird Herr Jean Cottereau, Obergärtner in den Baumschulen Ellenberger, Gerzenstein, vermißt. Es scheint sich um eine brutale Entführung zu handeln, deren Hintergründe bis jetzt noch nicht aufgehellt sind. Der Vermißte kehrte gestern abend in Begleitung seines Meisters, Herrn Ellenberger, mit dem Zehn-Uhr-Zug von Bern heim. Gerade als beide in den Feldweg einbiegen wollten, der außerhalb des Dorfes Gerzenstein liegt, wurden sie von einem Auto mit gelöschten Lichtern von hinten angefahren. Herr Gottlieb Ellenberger fiel mit dem Kopfe gegen einen Randstein und erlitt eine leichte Gehirnerschütterung. Als er aus einer kurzen Ohnmacht erwachte, sah er, daß sein Begleiter, Herr Jean Cottereau, verschwunden war. Von dem Auto war keine Spur zu entdecken. Trotz heftiger Kopfschmerzen begab sich Herr Ellenberger auf den Posten der Kantonspolizei. Die mit Hilfe des Landjägerkorporals Murmann und einiger Einwohner durchgeführte Streife in die Umgebung des Dorfes verlief resultatlos. Bis jetzt ist von dem Vermißten keine Spur zu entdecken gewesen. Das Signalement des Vermißten gibt die Kantonspolizei wie folgt an:

Größe 1 Meter 60, korpulent, rotes Gesicht, spärliche Haare, schwarzer Anzug... Sachdienliche Mitteilungen sind zu richten...«

Der Jüngling machte einige schleichende Schritte. Ein Knax. Die Stimme verstummte. Dann kam der Jüngling zurück. Das Klappen des Messers auf dem Abziehholz war deutlich zu hören.

»Geht's Messer?« fragte er, als er eine Wange rasiert hatte.

Studer brummte.

Dann wieder Schweigen.

Der Jüngling war fertig, Studer wusch sich über dem Becken.

»Stein?« fragte der Jüngling und drückte rhythmisch auf die Gummiblase eines Zerstäubers.

»Nein«, sagte Studer. »Puder.«

Sonst wurde nichts gesprochen.

Beim Fortgehen bemerkte Studer auf einem Tischchen

im Hintergrunde einen Stapel broschierter Bändchen. Er sah sich den Titel des obersten an.

»John Klings Erinnerungen«, stand darauf. Darunter:

»Das Geheimnis der roten Fledermaus.«

Studer grinste unter seinem Schnurrbart, als er den Laden verließ.

Läden, Lautsprecher, Landjäger

Dieses Gerzenstein!« murmelte Studer. An jedem Haus war ein Schild angebracht, rechts und links der Straße: Metzgerei, Bäckerei, Lebensmittelgeschäft, Ablage des Konsumvereins; Migros; dazwischen eine Wirtschaft, dann noch eine: Zum Klösterli, Zur Traube. Dann weiter: Metzgerei, Drogerie, Tabak und Zigarren; ein großes Schild: Kapelle der apostolischen Gemeinschaft. Dahinter, in einem Garten: Heilsarmee. Eine schmale Wiese unterbrach die Reihe. Aber gleich darauf begann es wieder: Apotheke, Drogerie, Bäckerei. Ein Arztschild: Dr. med. Eduard Neuenschwander. – So, so, der Mann, der die erste oberflächliche Untersuchung der Leiche gemacht hatte... Dann endlich, Studer dachte schon, er habe den Weg verfehlt, sah er ein breites, behäbiges Haus, aus grauem Stein erbaut, mit einem ausladenden Dach: den Gasthof zum »Bären«.

Der Wachtmeister verlangte ein Zimmer und bekam eine Mansarde unterm Dach. Sie war sauber, roch nach Holz, das Fenster ging nach hinten auf eine Wiese, die überzogen war von weißem, blühendem Schaum. Nach der Wiese kam ein Roggenfeld von zart violetter Farbe. Und der Wald als Abschluß zeigte auf einem schwarzen Tannengrund die hellen grünen Flecke einiger Laubbäume. Diese Farben gefielen Studer ausnehmend. Er blieb ein paar Minuten am

Fenster stehen, packte seinen Koffer aus, wusch sich die Hände und stieg wieder die Treppen hinunter. Er sagte der Kellnerin, er werde etwa in einer halben Stunde zum Essen kommen. Dann machte er sich auf die Suche nach dem Landjägerposten.

Und als er die Dorfstraße entlangging, vorbei an den vielen Schildern, die sich folgten, fiel ihm eine zweite Eigentümlichkeit dieses Gerzensteins auf. Aus jedem Hause drang Musik: manchmal unangenehm laut aus einem geöffneten Fenster, manchmal dumpfer, wenn die Fenster geschlossen waren.

»Gerzenstein, das Dorf der Läden und Lautsprecher«, murmelte Studer, und es war ihm, als sei mit diesen Worten ein Teil der Atmosphäre des Dorfes charakterisiert...

Landjägerkorporal Murmann sah aus wie ein pensionierter Schwingerkönig. Sein Uniformrock stand offen, auch das Hemd klaffte und ließ eine Brust sehen, auf der die Haare dichter wucherten als auf dem Kopf.

»Salü«, sagte Studer.

»Eh, der Studer!« Und ob er noch immer Billard spiele? Er solle abhocken. Dann erhob Murmann die Stimme zu einem tosenden Ruf, mit langgezogenem I-Laut, und der Ruf galt Frau Murmann – aber es war nicht deutlich, ob die Frau Emmy oder Anny hieß. Das blieb sich ja auch im Grunde gleich.

»Wyße oder Rote?« fragte Murmann.

»Bier«, sagte Studer kurz.

Der tosende Ruf erhob sich zum zweiten Male, und zwei I-Laute hallten durchs Haus. Es kam auch Antwort, und der Ruf der Antwort war genau so tosend. Nur eine Tonlage höher. Dann erschien Frau Murmann in der Tür, und sie sah aus wie eine Statue der Helvetia aus den achtziger Jahren. Nur das Gesicht war viel, viel intelligenter als jenes besagter Statue. Von patriotischen Bildnissen wird ja auch keine Intelligenz verlangt. Wozu auch?

Ob sie den Studer noch kenne, wollte der Schwingerkönig wissen, und die intelligente Helvetia nickte. Dann erkundigte sie sich, ob Studer schon gegessen habe. Er habe im »Bären« zu Mittag bestellt, erwiderte der Wachtmeister, worauf die beiden großen Menschen zusammen böse wurden. Das sei nicht recht, es sei doch selbstverständlich, daß Studer hier esse – gegen das dröhnende Duett war nicht aufzukommen. Glücklicherweise begann im oberen Stockwerk eine dritte Stimme zu kreischen, worauf sich Frau Murmann – hieß sie Emmy oder Anny? – empfahl. Studer mußte versprechen, zum Nachtessen ganz bestimmt zu kommen.

»Ja hmm«, sagte Studer, trank sein Glas aus, seufzte: »Ahh« und schwieg.

»Ja«, sagte Murmann, trank sein Glas aus, gluckste, bekam Tränen in die Augen von der Kohlensäure, und dann schwieg auch er...

Es war friedlich in dem kleinen Bureau. In einer Ecke stand eine alte Schreibmaschine, deren Tasten gelb schimmerten: aber sie war groß und solid und paßte zu dem Korporal Murmann. Durchs Fenster, das offen stand, sah Studer in einen Garten: kleine Buchshecken säumten die Beete ein, auf denen der Spinat schon aufgeschossen war. Aber in der Mitte des Gartens, dort, wo die Buchshecken verdrehte Arabesken bildeten, standen durchscheinend rote Tulpen.

Die gelben Pensées, die sie bescheiden umgaben, waren schon am Verblühen. Sie erinnerten an Leute, die keiner Partei angehören, und es deswegen zu nichts gebracht haben . . .

»Du kommst wegen dem Witschi . . .«, sagte Murmann und dämpfte seine tosende Stimme. Das Gekreisch im oberen Stockwerk war verstummt, und Murmann wollte es wohl nicht wieder zum Erschallen bringen.

»Ja«, sagte Studer und streckte die Beine. Der Stuhl war bequem, er hatte Armstützen. Studer ließ sich gehen und blinzelte in den Garten, auf den jetzt die Sonne schien. Aber der Schein blieb nicht lange, das Grau kam wieder – nur die Tulpen leuchteten unentwegt . . .

Studer dachte an seine Unterredung mit dem Untersuchungsrichter. Wieviel Speuz hatte er dort verschwenden müssen! Der Murmann war entschieden vorzuziehen, obwohl er kein rohseidenes Hemd trug . . .

– Es sei so still hier, sagte Studer nach einer Weile, worauf Murmann lachte. Er habe eben keinen Lautsprecher wie die andern Gerzensteiner, sagte er. Da lachte auch Studer.

Und dann schwiegen beide wieder.

Bis Studer fragte, ob Murmann den Schlumpf für schuldig halte.

»Chabis!« sagte Murmann nur.

Und dieses einzige Wort gab dem Fahnderwachtmeister Studer mehr Sicherheit als alle kriminologischen und psychologischen Spitzfindigkeiten, die er bis jetzt gesammelt hatte, um in sich die immerhin mehr gefühlsmäßige Überzeugung der Unschuld des Burschen Schlumpf zu festigen.

Studer wußte, Murmann war ein schweigsamer Mensch.

Es war nicht leicht, ihn zum Reden zu bringen. Ja, die Worte, die man in den alltäglichen, belanglosen Gespräche tauscht, die saßen bei ihm locker. Aber sobald es sich um wichtigere Dinge handelte, war ein Wort wie beispielsweise: »Chabis« fast ebensoviel wert wie die kräftigen Ausführungen eines Experten.

– Studer kenne eben noch nicht das Kaff Gerzenstein, sagte Murmann nach einer Weile. Er hatte sich eine Pfeife gestopft und rauchte langsam.

»Ich bin jetzt bald sechs Jahre hier«, sagte Murmann. »Und ich kenne den Betrieb. Ich kann nichts machen. Ich muß aufpassen. Weischt, Diplomatie!« (Er sagte »Diplomaziiie« und drückte das eine Auge zu.) »Gut, daß du gekommen bist. Ich bin nämlich so ...« Er steckte die Arme waagrecht aus, die mächtigen Handgelenke eng aneinandergepreßt, um recht deutlich zu demonstrieren, wie machtlos er sei ...

Dann schwieg er wieder.

»Weischt«, sagte er nach einer Weile, »der Aeschbacher, der Gemeindepräsident ...« und schwieg wieder lange. »Aber der alte Ellenberger! ...« Und zwinkerte mit dem rechten Auge.

»Aber der Cottereau ist verschwunden ...« warf Studer ein und nahm einen Schluck aus seinem Glas.

»Hab keinen Kummer«, sagte Murmann gemütlich. »Der kommt scho wieder ume ...«

»Jää ... aber hast du nicht die Polizeidirektion alarmiert, daß es dann im Radio gekommen ist?«

»Ich?« fragte Murmann und wies mit dem großen, behaarten Zeigefinger auf seine nackte Brust. »Ich?« Und ob

Studer etwa krank sei, daß er so dumme Fragen stelle?? Das habe doch der Ellenberger gemacht, um sich einen Spaß zu leisten! Beromünster, habe der Ellenberger einmal gemeint, sei auch nicht für die Hunde gebaut worden, man müsse den Leuten etwas zu tun geben. Und die vielen Empfänger...

Studer fand bei sich, daß dieses Gerzenstein ein merkwürdiges Dorf sei, und seine Einwohner waren noch merkwürdiger. Aber er beschloß, den Korporal Murmann nicht länger zu belästigen, übrigens wartete das Essen im »Bären« sicher schon auf ihn. So verabschiedete er sich und versprach, am Abend wiederzukommen. Murmann schien diese Diskretion zu schätzen; denn er meinte beim Abschied: zum Reden habe man immer noch Zeit, und so um die Mittagsstunde, da habe er immer Schlaf. Wenn man jeden Abend die Polizeistunde kontrollieren müsse in allen Beizen, dann habe man tagsüber einen dummen Kopf. Dazu gähnte er ausgiebig.

So stand Studer wieder auf der asphaltierten Straße. Rechts und links, so weit der Blick reichte: Läden, Läden, Läden.

Und die Häuser waren nicht stumm...

Es war Samstagnachmittag.

Durch die Mauern, durch die geschlossenen Fenster und durch die geöffneten jodelte das Gritli Wenger –

Es jodelte den Sonntag ein...

Noch einer, der nicht mehr mitmachen will

Der Speck war zäh und der Suurchabis schwamm in allzu viel Flüssigem. Die Gaststube war leer. Am Ausschank polierte die Kellnerin Weingläser. Es hatte endgültig aufgehört zu regnen, aber der Himmel war mit einer weißen Schicht überzogen, die blendete.

Studer spürte ein unangenehmes Beißen in der Nase: es war wohl ein Schnupfen, der sich meldete. Kein Wunder, wenn der Mai so kalt war. Er kostete den Kaffee. Der war ebenso dünn und lau wie derjenige seiner Frau, wenn sie nächtelang gelesen hatte. Studer schüttete den Kirsch in die Brühe, verlangte noch einen und begann dann die Gerzensteiner Nachrichten zu studieren. Seine Stimmung wurde langsam besser, er lehnte sich in die Ecke zurück und rollte mit den Schultern, bis sie bequem der Wand anlagen.

Da betrat ein junger Mann die Gaststube. Zuerst schnitt die Kellnerin mit einer brüsken Handbewegung einer männlichen Stimme das Wort ab, die in einer Ecke sanft über die Entschlüsse plätscherte, an denen der Nationalrat letzte Woche erkrankt war, dann sagte die Saaltochter:

»Grüeß di!« Es klang wie ein unterdrückter Freudenruf und Studer wurde aufmerksam, so wie jeder, auch der solideste Mann aufmerksam wird, wenn sich in seiner nächsten Nähe eine zarte Beziehung bemerkbar macht. »Becher

Hell's!« sagte der junge Mann kurz. Es war eine deutliche Ablehnung.

»Ja, Armin«, sagte die Saaltochter geduldig, ein wenig vorwurfsvoll.

Armin? Studer sah sich den Burschen näher an. Dieser gehörte zu jener Sorte junger Männer, die über einen sehr reichlichen Haarwuchs verfügen, und diesen in Form von Dauerwellen über der Stirn aufschichten. Der blaue Kittel war in der Taille so eng geschnitten, daß er waagrechte Falten warf, die breiten hellen Hosen verdeckten die Absätze und schleiften fast am Boden nach.

Das Gesicht? Ja, es hatte eine gewisse Ähnlichkeit mit einem andern Gesicht, das Studer heute morgen in einem grausam hellen Raum gesehen hatte. Das Gesicht des Burschen war magerer, glatter, der Schnurrbart fehlte, aber das Kinn war dasselbe: weich, leicht verfettet...

Die Glücksfälle mehrten sich. Es war sicher der Armin Witschi. Vielleicht erhielt man die Bestätigung.

Die Kellnerin hatte sich an den Burschen gedrängt. Der Armin ließ es sich gefallen.

– Ob er denn nicht den Laden hüten müsse? fragte sie.

– Die Schwester sei heimgekommen, sie habe frei heut nachmittag, brauche nicht nach Bern zu fahren. Übrigens, fuhr er fort, sei ihm alles verleidet. In das Lädeli komme ohnehin niemand mehr, er werde wohl bald auch hausieren müssen wie der Vater, und vielleicht... Die Pause, die folgte, sollte vielsagend sein.

»Nid, Armin!« sagte die Kellnerin. Sie mochte etwa dreißig Jahre alt sein, hatte müde Züge in einem nicht unschönen Gesicht.

– Auf keinen Fall dürfe er reisen, sagte sie; der Schlumpf sei nicht der einzige gewesen, es seien noch mehr beim alten Ellenberger, die zu allem fähig seien …

Sie merkte plötzlich, daß Studer zuhörte, und dämpfte die Stimme zu einem Flüstern. Der Armin trank einen Schluck aus seinem Glas. Er spreizte dabei den kleinen Finger ab.

Das Wispern der Kellnerin wurde eifriger; Armin beteiligte sich am Gespräch nur mit einzelnen Worten. Aber die wenigen Worte, die er einwarf, hatten Gewicht – falsches Gewicht, hätte Studer am liebsten gesagt. Er zog seine Uhr. Es war halb drei. Er war müde, die Glieder taten ihm weh, das Gewisper ging ihm auf die Nerven. Vielleicht sollte er ein wenig spazieren gehen? Zum Ellenberger? Seine alten Bekannten dort besuchen, den Schreier, der jetzt Klavier spielte und den Buchegger mit der Baßgeige? Die Jazzkapelle genannt: »The Convict Band«! … Ein Humorist, dieser alte Ellenberger. Man wurde nicht klug aus ihm. Für seine Leute schien er gut zu sorgen …

Oder war es besser, die Frau zu besuchen, bei der Schlumpf gewohnt hatte?

Ein ödes Blatt, dieser Gerzensteiner Anzeiger. »Erscheint zweimal wöchentlich mit Beilagen: Für die Frau, Palmblätter, Landwirtschaftliches.« Was hieß das »Landwirtschaftliches«! Aus einem unerfindlichen Grunde ärgerte dieses Wort den Wachtmeister Studer. Aber was war das?

»In letzter Stunde erfahren wir den traurigen Hinschied unseres wohlverdienten Mitbürgers W. Witschi, der in seinem 50. Altersjahre einer ruchlosen Bubenhand zum Opfer gefallen ist. Herr W. Witschi war bekannt als ein Muster von Treue und Pflichterfüllung, sein Andenken wird uns teuer bleiben, bis über das Grab hinaus, denn er war noch einer von jenen immer mehr aussterbenden Charaktern« – Studer streichelte seinen Schnurrbart, die »aussterbenden Charakter« gefielen ihm ausnehmend –, »die nach alter Väter Sitte ...« – ja, ja, das kannte man. Studer übersprang ein paar Zeilen.

Aber plötzlich stockte er und las nicht weiter. Etwas hatte ihn gestört: wohl die plötzliche Stille – das Wispern hatte aufgehört. Studer äugte vorsichtig über den Rand der Zeitung. Das Klingen von Geldmünzen war zu hören. Die Kellnerin kramte in dem Ledersack, den sie unter der Schürze trug. Armin tat unbeteiligt und strich dann und wann mit lässiger Gebärde über seine wohlondulierten Haare. Die linke Hand trommelte auf dem Tisch.

Jetzt verschwand sie unter der Tischplatte. Wieviel Geld gibt sie ihm wohl? fragte sich Studer. Das Rascheln einer Banknote war zu hören.

»Ich möchte zahlen ...«, sagte Studer laut. Die Kellnerin fuhr mit rotem Kopf in die Höhe, Armin blickte böse zu dem einsamen Gast hinüber, Studer gab den Blick zurück, der Bursche hielt ihn nicht lange aus, Studer nickte unmerklich. Innerlich formulierte er seine Beobachtung: »Nicht ganz sauber überm Nierenstück.«

»Ein Mittagessen macht ...«, die Kellnerin begann die Rechnung herunterzuleiern, Studer schob einen Fünfliber hin, steckte das Usegeld achtlos in die Hosentasche.

»Zahlen, Berta!« rief der junge Mann drüben. Er schwenkte eine Zwanzigernote ...

Wie nannte man in Frankreich die Bürschchen, die sich aushalten ließen? Es war der Name eines Fisches, Studer kam nicht gleich darauf...

Richtig! Maquereau!...

Dort, wo der Feldweg rechts von der Automobilstraße abzweigte, stand ein großes Schild:

Baumschulen und Rosenkulturen
Gottlieb Ellenberger

und ein Pfeil wies die Richtung. Studer verschob den Besuch auf später. Er bog lieber links ab, der Weg stieg ein wenig an, aber man kam gleich in den Wald – Nadelhölzer und ganz wenig Laubbäume... Tannenduft war gesund, besonders für Schnupfen, das hatte schon sein Vater behauptet. Im Vorbeigehen sah er sich den Randstein an, an den offenbar der alte Ellenberger am gestrigen Abend mit seinem Kopf geflogen war. Es war ein gewöhnlicher Randstein, kein Blut klebte daran, am besten, man ließ ihn rechts liegen und stieg das Waldweglein empor...

Es war nie gut, sich auf einen Fall zu stürzen, wie eine hungrige Sau aufs Fressen. Und man konnte mit dem heutigen Tag zufrieden sein. Man hatte Bekanntschaften genug gemacht, man hatte Bilder gesammelt, eigentlich nicht anders als ein Fisel Schokoladebildli. Aber die Bilder waren schön:

Zuerst der Wendelin Witschi mit einer Alkoholkonzentration von 2,1 pro Mille, was nach Ansicht des italienischen Assistenten mit den kriminologischen Kenntnissen zu den Attributen einer »Alkoholleiche« gehörte. Dann die Felicitas mit dem Loch im Strumpf und ihrem sonderbaren Benehmen dem Coiffeurgehilfen gegenüber. Hernach der Maquereau mit seiner Freundin, der Kellnerin ...

Mein Gott, die Menschen waren überall gleich. In der Schweiz versteckten sie sich ein wenig, wenn sie über die Schnur hauen wollten, und solange es niemand merkte, schwiegen die Mitmenschen. Und der Wendelin Witschi, der im Gerichtsmedizinischen Institut konserviert wurde, war ein aussterbender Charakter.

Gut und recht.

Warum nicht? Solche Ausdrücke gehören zum Leben; die Leute, auf die sie angewandt werden, zotteln weiter, niemand regt sich über ihre kleineren oder größeren Sünden auf, wenn nicht ...

Eben, wenn nicht irgend etwas Unvorhergesehenes passiert. Ein Mord zum Beispiel. Zu einem Mord gehört ein Schuldiger, wie der Anken aufs Brot. Sonst reklamieren die Leute. Und wenn dann der sogenannte Schuldige versucht, sich aufzuhängen und es kommt ein Fahnderwachtmeister dazu, der einen harten Gring hat, dann kann es geschehen, daß alle die kleinen Unregelmäßigkeiten, die im Leben jedes Menschen vorhanden sind, plötzlich wichtig werden; man arbeitet dann mit ihnen, wie ein Maurer mit Backsteinen – um ein Gebäude aufzurichten ... Ein Gebäude? Sagen wir vorläufig: eine Wand ...

Am Waldrand blieb Studer stehen, wischte sich die Stirne und schaute übers Land. Auf einer Telegraphenstange saß ein Mäusebussard und ruhte sich aus. Aber da kam eine Krähe und begann den stillen Vogel zu plagen. Der Bussard flog auf, die Krähe folgte ihm, und sie krahahte dazu mit einer unangenehm heiseren Stimme. Der Bussard schwieg. Er flog immer höher, immer höher, warf sich dem Wind entgegen und bewegte kaum die Flügel. Die Krähe folgte. Sie wollte ihren Krach haben, sie ließ nicht locker, immer wieder stieß sie gegen den stillen Vogel. Aber schließlich mußte sie es aufgeben. Der Bussard hatte eine Höhe erreicht, wo es der Krähe ungemütlich wurde. Krächzend ließ sie sich fallen. Der Bussard flog einen vollkommenen Kreis und Studer beneidete ihn. Hier unten entkam man den Krähen nicht so mühelos.

Er drang tiefer in den Wald ein. Und der Wald war sehr still...

Wie weit war der Wachtmeister gegangen? Über seinem Kopfe spielte ein kleiner Wind mit den Baumwipfeln. Es rauschte sanft.

Und dann wurde das kühle Rauschen plötzlich von einem anderen Geräusch unterbrochen. Zweige knackten, ein Stöhnen war zu hören – so als ob ein verwundetes Tier sich mühsam weiterschleppen würde... Hinter einem Gebüsch fand Studer einen Mann, der auf dem Bauch lag und wimmerte. Die Rückennaht seines Rockes war aufgerissen, das Haar zerrauft, die Schuhe waren kotig.

Der Mann hatte das Gesicht auf den Unterarm gelegt und weinte in die Erde hinein.

Einen Augenblick sah Studer ein anderes Bild: den Burschen Schlumpf, der die Augen in die Ellbogenbeuge gepreßt hatte...

Dann klopfte Studer dem Liegenden auf die Schulter und fragte:

»Was ist los?«

Der Mann drehte sich langsam auf den Rücken, blinzelte und schwieg. Studer erkannte den alten Cottereau, den Obergärtner beim Ellenberger...

Aber als Studer noch einmal fragte, was denn eigentlich passiert sei, begann das Gewimmer von neuem. Jetzt waren die Worte deutlich zu verstehen:

»Mein Gott! Mein Gott! Herjeses, ist das gut, daß endlich ein Mensch kommt. Verrecken könnt' man in dem Wald. O je, o je! ganz trümmelig ist mir, und so haben sie mich abgeschlagen!...«

Wer ihn denn abgeschlagen habe, wollte Studer wissen. Da hörte das Gejammer auf, das linke Auge blinzelte verschmitzt – das andere war blau unterlaufen und die geschwollene Haut verbarg es fast ganz – und mit ganz ruhiger Stimme sagte der Obergärtner Cottereau:

»Das tätet Ihr gern wissen, he? Aber von mir erfahrt Ihr nichts. Es war, vielleicht war es... Gar nichts war's! Eigentlich könntet Ihr mir aufhelfen und mich dann heimführen, bin ohnehin ganz naß, die Nacht im Wald... Sie haben mich zwar... Ja, der Meister wird auf mich warten, hat er große Sorge gehabt um mich?«

»Er hat Euch durchs Radio suchen lassen...«, sagte Studer – da hockte der Mann blitzschnell auf, aber eine Grimasse verzog sein Gesicht. Dann breitete sich ein Ausdruck von Stolz darüber aus:

»Durchs Radio?« fragte er. Darauf bewundernd: »Ja, der Ellenberger!... Wie geht's ihm, dem Meister? Ist er schwer verletzt worden?«

Studer schüttelte den Kopf und meinte streng, er werde

ihn, den Cottereau, liegen lassen, wenn er nicht sagen wolle, wer ihn überfallen habe.

»Das könnt Ihr machen, wie Ihr wollt, Herr Fahnder«, sagte der kleine dicke Mann, zog einen Taschenspiegel hervor, einen Kamm und begann sich zu strählen.

»So, und jetzt könnt Ihr mich heimführen ... Ihr seid ohnehin schuld, daß sie mich so abgeschwartet haben. Aber der Cottereau ist zäh, der sagt nichts, der weiß, was er seinem Meister schuldig ist ...«

Und nach einem Schweigen:

»Man wird alt«, sagte der Kleine. »Man ist nicht mehr so rüstig wie früher. Schad, daß der Meister gestern nicht mitgekommen ist, der hätt' die Burschen anders traktiert!«

»Die Burschen?« fragte Studer. »Welche Burschen?«

»Hehe«, lachte Cottereau. »Das möchtet Ihr gern wissen, Wachtmeister. Aber ich sag nichts. Ich mach nicht mehr mit ... Punkt ... Schluß ... Ich mach nicht mehr mit!« Und er schüttelte trotz der Schmerzen, die er offenbar verspürte, ganz energisch den Kopf.

Studer bückte sich. Cottereau legte seinen Arm um die Schultern des Wachtmeisters, richtete sich auf, stöhnend, und begann dann langsam zu gehen. Studer stützte ihn.

»Der Rücken!« klagte der Dicke. »Geschlagen haben sie! Und dazu immer gesagt: ›So! ... ein Fahnder von der Stadt will sich in unsere Angelegenheiten mischen! Das ist nur‹, haben sie gesagt, ›eine kleine Probe, Cottereau. Damit du's Maul hältst. Verstanden? Wir haben unsern Landjäger. Wir brauchen keinen Tschucker von der Stadt!‹ Ja, das haben sie gesagt. Und von mir erfährt niemand nichts. Verstanden, Fahnder? Ich bin still. Ich schweige, ich schweige, wie das

Grab ...« Dann murmelte der alte Cottereau noch einiges, das nicht zu verstehen war...

Wenn Studer gedacht hatte, den ganzen Vorfall vom Ellenberger erklärt zu bekommen, so wurde er enttäuscht. Ellenberger saß auf einem Bänklein vor seinem Haus. Es war eine Art Villa, noch ziemlich neu, ein Schuppen stand hinterm Haus, die Fenster eines Treibhauses schimmerten. Der Ellenberger hatte um den Kopf einen dicken weißen Verband.

»So«, sagte er trocken, »habt *Ihr* den Cottereau gefunden? Dank Euch, Wachtmeister. Ihr seid ja ein richtiger ›Deus ex machina‹.« – Und er lachte schleppend, als er Studers erstauntes Gesicht sah.

»Warum habt Ihr denn den Radio alarmiert?« fragte Studer endlich neugierig.

»Das werdet Ihr später schon verstehen«, sagte der alte Ellenberger und strich sich über seinen weißen Turban. »Vielleicht hab ich Euch damit einen Dienst geleistet ...«

»Dienst?« Studer wurde ärgerlich. »Der Cottereau schweigt sich aus. Und Ihr habt ja auch nichts gesagt. Wer hat Euch angefallen, wer Euern Obergärtner verschleppt?«

»Wachtmeister«, sagte Ellenberger, und er machte ein sehr ernstes Gesicht. »Es gibt Äpfel und Äpfel. Solche, die könnt Ihr vom Baum essen, sie sind reif, und andere, die müßt Ihr einkellern, die werden erst im Horner gut, oder im Märzen ... Abwarten, Wachtmeister, bis der Apfel reif wird. Geduld haben. Verstanden?«

Und mit dieser Auskunft mußte sich Studer zufrieden geben. Nicht einmal mit dem Schreier und dem Buchegger konnte er die Bekanntschaft erneuern. Sie arbeiteten noch, hieß es.

Eine Baumschule sei kein Staatsbetrieb, sagte der Ellenberger bissig. Am Samstagnachmittag werde hier geschafft...

Zimmer zu vermieten

Schlumpf hatte dem Wachtmeister erzählt, er habe bei einem Ehepaar gewohnt, das in der Bahnhofstraße ein Korbereigeschäft betrieben habe. Hofmann hätten die Leute geheißen.

Das Haus war nicht schwer zu finden. Auf dem Trottoir, vor dem Laden, standen geflochtene Blumenständer, die sich nach einem Salon und der obligaten Palme zu sehnen schienen. Studer trat ein, eine Klingel schrillte gedämpft in einem hinteren Zimmer und dann betrat eine Frau den Laden. Sie trug eine blaugestreifte Ärmelschürze, ihre Haare waren grau und ordentlich frisiert. Sie fragte, was der Herr wolle, und ihre Höflichkeit wirkte angelernt.

Er komme, sagte Studer, um über den Schlumpf Erwin, der ja hier gewohnt habe, Auskunft einzuziehen. Wachtmeister Studer von der Kantonspolizei. Man habe ihn mit der Verfolgung des Falles betraut, und er hätte gern etwas über den Burschen erfahren.

Die Frau nickte, ihr Gesicht wurde traurig.

Das sei eine heillose Geschichte, meinte sie. Der Wachtmeister möge doch eintreten, sie sei allein, ihr Mann sei hausieren gegangen, ob der Wachtmeister nicht ein wenig in die Küche kommen wolle, sie habe gerade Kaffee gemacht, er könne auch eine Tasse trinken, wenn er wolle.... Ganz ungeniert.

Auf Kaffee hatte Studer gerade Lust...

Und er bereute es nicht, denn der Kaffee war gut, keine laue Brühe wie im »Bären«. Die Küche war klein, weiß, sehr sauber. Nur der Stuhl, auf dem Studer Platz genommen hatte, war ein wenig zu schmal...

Studer begann vorsichtig zu fragen.

– Ob der Schlumpf pünktlich gezahlt habe? – O ja, jeden Monat, am letzten, wenn er Zahltag gehabt hätte, sei er gekommen und habe 25 Franken auf den Tisch gelegt. – Und sei am Abend immer daheim geblieben? – Das erste Jahr schon, aber seit färn sei er am Abend oft spät zurückgekommen. – Aha, meinte Studer, eine Liebschaft?

Frau Hofmann lächelte. Es war ein freundliches, mütterliches Lächeln. Studer freute sich im stillen über die Frau. Sie nickte.

– Aber das Mädchen sei nie zum Schlumpf ins Zimmer gekommen? – Nie, nein. Solche Sachen wolle sie nicht haben. Nicht daß sie etwas daran finde, aber in einem Dorf! ... Der Wachtmeister werde verstehen...

Studer verstand. Es war an ihm zu nicken, und er nickte überzeugt. Er saß da in seiner Lieblingshaltung, die Schenkel gespreizt, die Unterarme auf den Schenkeln und die Hände gefaltet. Sein magerer Kopf war gesenkt.

– Das Mädchen sei auch nie gekommen, um den Schlumpf abzuholen? – Nein... Das heißt, wohl einmal... am Mittwochabend...

»Um welche Zeit?«

»Um halb sieben. Der Schlumpf ist gerade von der Arbeit zurückgekommen, hat sich im Zimmer gewaschen... Er war gerade am Waschen, da ist das Meitschi in den Laden gekommen, ganz blaß war sie, aber das hat mich weiter nicht gewundert, weil doch ihr Vater ermordet aufgefunden worden war... Sie hat gesagt, sie müsse den Schlumpf sprechen und ob ich ihn rufen wolle. Er ist dann gekommen, ich hab' die beiden in der Küche allein gelassen, aber sie haben kaum eine Minute miteinander gesprochen. Dann ist das Meitschi wieder fortgegangen. Und der Schlumpf ist erst nach Mitternacht heimgekommen...«

»Das war am Mittwoch, also am Abend nach der Entdeckung des Mordes, nicht wahr?«

»Ja, Herr Wachtmeister. Ich hab schlecht geschlafen in der Nacht, um vier Uhr hab ich den Schlumpf gehört, wie er auf den Socken die Treppe hinuntergeschlichen ist. Um sieben Uhr ist dann schon der Murmann gekommen und hat den Schlumpf verhaften wollen. Aber da war der Erwin schon fort...«

Der Erwin... Der Name klang zärtlich im Mund der grauen Frau. Zwei Jahre hatte der Erwin also bei den gleichen Leuten gewohnt, er mußte sich gut aufgeführt haben, sonst hätten sie ihn wohl nicht so lange behalten...

»Und habt Ihr sein Vorleben gekannt?«

»Ach, Wachtmeister«, sagte Frau Hofmann. »Er hat Unglück gehabt, der Erwin. Mein Vater hat immer gesagt: ›Richtet nicht, auf daß Ihr nicht gerichtet werdet.‹ Nein, nein, ich geh' nicht zu den Stündelern, aber Ihr wißt ja, Wachtmeister, wie es manchmal gehen kann. Der Erwin hat uns in der zweiten Woche alles erzählt, von seinen Einbrüchen und von Thorberg und von der

Zwangserziehungsanstalt ... Einmal hat ihn seine Mutter besucht ... Eine gute Frau ... Der Erwin hat viel von seiner Mutter gehalten ... Habt Ihr die Mutter gesehen?«

Studer nickte. Er hörte die alte, ruhige Stimme, die fragte: »Aber er darf noch z'Morgen nehmen?«

Über der Küchentür schrillte die Klingel. Es sei wohl jemand im Laden, meinte die Frau, stand auf, füllte vorsorglich Studers Tasse – mit Zucker und Milch solle er sich nur bedienen, meinte sie –, und dann ging sie ihre Kunden bedienen.

Studer trank die Tasse in kleinen Schlücken leer, zog die Uhr: es war bald sechs. Er hatte noch Zeit.

Er spazierte in der kleinen Küche umher, die Hände auf dem Rücken verschränkt, dachte an nichts und schüttelte nur von Zeit zu Zeit den Kopf, wenn ihn irgendein Gedanke belästigen wollte. Zweimal, dreimal kam er an dem weißen Küchenschaft vorbei, ohne ihn richtig zu sehen, bis er sich, bei einer brüsken Kehrtwendung, schmerzhaft an einer Ecke stieß. Nun betrachtete er erst das Möbel, aufmerksam und mißbilligend. Es war ein weißer Küchenschaft, unten breit, mit Holztüren; auf diesem breiten unteren Teil erhob sich ein schmäleres Gestell mit Glasfenstern. Ein Stapel Teller, daneben Tassen und Gläser, einige Bratenschüsseln. Auf dem obersten Brett lagen alte Zeitungen, ordentlich aufgeschichtet und neben ihnen, durcheinander, altes Packpapier. Die Türen waren nur angelehnt. Studer starrte auf den unordentlichen Stoß Packpapier. Und da er sich langweilte, nahm er das Packpapier heraus – er packte es fest mit beiden Händen, damit nicht irgendein kleineres Blatt zu

Boden flatterte, – legte den Stoß auf den Tisch und begann es sorgfältig zusammenzulegen.

Als er das fünfte Blatt hochhob (noch später erinnerte er sich an die Farbe dieses Papiers, es war blaues Papier, wie man es zum Einwickeln von Zuckerhüten braucht), sah er etwas Schwarzes liegen.

Studer stützte die Fäuste auf den Tisch und besah mit schiefgeneigtem Kopf das schwarze Ding. Kein Zweifel: eine Browningpistole, Kaliber 6,5, eine zierliche Waffe. Aber was hatte dieser Browning in der Küche der Frau Hofmann zu suchen? Wie war er unter dieses Papier gerutscht? Hatte der Schlumpf ...? Eine böse Geschichte. Wenn der Untersuchungsrichter in Thun von diesem Fund erfuhr ...

Studer schwankte. Vielleicht waren Fingerabdrücke auf dem Kolben zu finden, obwohl der Kolben gerippt war und die Abdrücke sicher nicht so klar waren, daß man etwas mit ihnen würde beweisen können ...

Wieder schrillte die Klingel über der Küchentür kurz auf. Die Kunden hatten wohl den Laden verlassen. Frau Hofmann würde gleich zurückkommen.

»Ah bah«, sagte Studer laut, nahm das zierliche schwarze Ding – und ganz kurz sah er das Loch, das dies Ding gemacht hatte, die Einschußöffnung drei Finger etwa vom rechten Ohr im Hinterkopf des Wendelin Witschi – dann steckte Studer die Pistole in seine hintere Hosentasche ...

Die Küchentür ging auf. Frau Hofmann kam nicht allein zurück. Sonja Witschi begleitete sie.

Er habe ein wenig Ordnung machen wollen zum Dank für den Kaffee, sagte Studer, aber das sei ja nicht mehr nötig. Er nahm den Stoß Packpapier, warf ihn auf das obere Brett des Küchenschaftes und setzte sich wieder. Er schien das Mädchen gar nicht zu beachten.

»Im Dorf wissen sie schon, daß Ihr die Untersuchung führt, Herr Wachtmeister, und da hat die Sonja mit Euch reden wollen«, sagte Frau Hofmann. Und zu dem Mädchen gewandt: – Es solle abhocken, Kaffee sei noch da ...

Studer sah das Mädchen an. Das kleine Gesicht mit der spitzen Nase und den Sommersprossen an den Schläfen war bleich und sah verstört aus. Und immer wichen die Augen Studers Blick aus. Diese Augen blickten furchtsam in der Küche umher, wanderten vom Tisch, auf dem das Packpapier gelegen hatte, zum Schaft, in dem der Stapel nun lag. Die Lippen preßten sich aufeinander.

Am liebsten wäre Studer aufgestanden, hätte dem Mädchen die Haare gestreichelt und es beruhigt, wie man einen zitternden Hund beruhigt. Aber das ging nicht. Vielleicht wußte das Mädchen etwas von der versteckten Pistole? Hatte der Schlumpf die Waffe versteckt und am Abend vor seiner Flucht dem Mädchen erzählt, wo sie lag? Warum war dann Sonja nicht früher gekommen, um sie beiseite zu schaffen? Fragen, viele Fragen! ... Studer seufzte.

Nun kam Sonja auf ihn zu, sie schien ihn als denjenigen wiederzuerkennen, der im Zug die Bemerkung über Felicitas Rose gemacht hatte, denn sie wurde rot, als sie Studer die Hand gab. Aber vielleicht hatte die Röte auch eine andere Ursache. Die friedliche Atmosphäre, die vorher in der Küche geherrscht hatte, war gestört. Es war eine Spannung da, die nicht nur von der Verlegenheit (oder war es Angst?) der kleinen Sonja Witschi erzeugt wurde –

nein, Studer schien es, als habe sich auch die Haltung Frau Hofmanns verändert.

Das Schweigen, das über der kleinen Küche lag, wurde nur vom Ticken der Uhr unterbrochen, einer weißen Porzellanuhr mit blauen Ziffern. Und während dieses Schweigens wurde Studers optimistische Stimmung zernagt und langsam wuchs eine lähmende Mutlosigkeit in ihm. Vielleicht trug zum Wachsen dieser Mutlosigkeit auch das ungewohnte Gewicht bei, das in seiner hinteren Hosentasche lastete.

– Es seien wohl noch andere Kunden dagewesen, meinte Studer plötzlich. – Nein, keine Kunden ... Frau Hofmann schüttelte den Kopf. Zwei Herren seien dagewesen ... – Zwei Herren? Wie sie geheißen hätten? – Der Gemeindepräsident und der Lehrer Schwomm. – Was die Herren denn gewollt hätten?

Frau Hofmann schwieg verstockt. Studer blickte auf Sonja Witschi, die er bei sich Felicitas nannte. Aber das Mädchen zuckte nur die Achseln.

– Ob sie mit den beiden Herren gekommen sei? fragte Studer das Mädchen. – Es habe die beiden geholt, als es den Wachtmeister habe in den Laden gehen sehen.

Studer stand auf, kratzte sich die Stirne – das wurde ja immer komplizierter ... Aus Frau Hofmann war wohl nichts mehr zu holen ... Aber vielleicht aus dem Mädchen? ...

»Adieu, Frau Hofmann«, sagte Studer freundlich. »Und du, komm einmal mit. Wir wollen noch ein wenig zusammen reden ...«

Es hatte keinen Sinn, sich Schlumpfs Zimmer anzusehen. Das war sicher geputzt und gefegt worden und die Sachen, die Schlumpf gehört hatten, waren verpackt und lagen irgendwo ...

Als Studer aus dem Hause trat, wußte er, daß er mit dieser Ansicht recht hatte. Am grünen Laden eines Fensters im oberen Stock baumelte ein weißes Kartonstück.

Darauf stand in ungeschickter Schrift geschrieben:

»Zimmer zu vermieten.«

Der Wachtmeister wandte sich noch einmal an Frau Hofmann, zeigte auf die Ankündigung und fragte, ob sich schon Mieter gemeldet hätten.

Frau Hofmann nickte.

– Wer denn?

Frau Hofmann zögerte mit der Antwort, doch schien ihr die Frage nicht gefährlich. Und sie sagte:

»Der Lehrer Schwomm hätt' das Zimmer gern gehabt für einen Verwandten, der einen Monat zu ihm kommen will. Dann ist der Gerber vorbeigekommen, der ist beim Coiffeur als Gehilfe ... Ja, das wären alle.«

»Und Ihr habt die beiden in die Küche geführt und ihnen Kaffee angeboten?«

Frau Hofmann wurde rot, sie rieb sich verlegen die Hände: »Wenn man den ganzen Tag allein ist, wißt Ihr ...«

Studer nickte, lüpfte den Hut und ging mit langen Schritten davon. An seiner Seite trippelte Sonja Witschi. Ihre Absätze klapperten auf dem Asphalt. Aber sie hatte die Strümpfe gewechselt. Wenigstens war über der Ferse des rechten Schuhes kein Loch mehr zu sehen ...

Interieur der Familie Witschi

Das Haus stand abseits auf einer Anhöhe, inmitten einer kleinen Wohnkolonie, aber es war älter als die Bauten, die es umgaben. Die Ladentüre war neben der Eingangstüre, links; daneben lag eine Art offener Veranda, an deren Hinterwand sich ein gemalter See vor Schneebergen ausbreitete, und die Schneeberge waren rosa, wie wässeriges Himbeereis. Über der Türe prangte in verschnörkelter Schrift der Spruch:

Grüß Gott, tritt ein, bring Glück herein!

Unter den Fenstern des ersten Stockes in blauer Farbe der Name des Hauses:

Alpenruh

Über dem Schaufenster des Ladens, in dem bunte Maggiplakate verblaßten, ein Schild, das ebenfalls verwittert war:

W. Witschi-Mischler, Lebensmittelhandlung.

Der Garten war verlottert, hohes Unkraut stand zwischen den Erbsen, die nicht aufgebunden waren. An einer Hausecke lehnte ein verrosteter Rechen.

Auf dem ganzen Weg hatte Studer geschwiegen und gewartet, ob das Mädchen beginnen würde zu sprechen. Aber auch Sonja hatte geschwiegen. Nur einmal hatte sie schüchtern gesagt: »Ich hab heut' morgen im Zug schon gedacht, daß Ihr von Bern kommt wegen dem Schlumpf, daß Ihr von der Polizei seid...« Studer hatte genickt, gewartet, was noch weiter kommen werde. »Und wie ich gesehen hab', Ihr geht zu der Frau Hofmann in den Laden, hab ich den Onkel Aeschbacher geholt. Die Frau Hofmann ist eine gar Schwatzhafte...«

Studer hatte schweigend die Achseln gezuckt. Die ganze Geschichte ließ sich plötzlich schlecht an. Er wünschte, er hätte mit dem Landjäger Murmann am Morgen eingehender gesprochen.

Der Lehrer Schwomm und der Coiffeurgehilfe Gerber, dachte er – Gerber hieß also der Jüngling, der John-Kling-Romane las und sich Füllfederhalter schenken ließ –, diese beiden waren in der Küche der Frau Hofmann gewesen. Und Sonja... Und der Schlumpf natürlich.

Wer hatte den Revolver versteckt? Warum war er gerade an diesem Platz versteckt worden? Hatte man gehofft, Frau Hofmann werde ihn finden und damit zur Polizei laufen? Angenommen, Frau Hofmann hätte ihn gefunden, dann hätte sie ihn natürlich in die Hand genommen und neugierig, wie Frauen einmal sind, untersucht. Dann wäre selbstverständlich kein Fingerabdruck mehr festzustellen gewesen. Also war es nicht so arg, so tröstete sich Studer, daß er den Browning so ohne Vorsichtsmaßnahmen einfach eingesteckt hatte... Schade, daß er Frau Hofmann nicht gefragt hatte, wann der Schlumpf am Dienstagabend oder vielmehr in der Dienstagnacht heimgekommen war... Aber eigentlich war diese Frage nicht nötig, die Antwort stand sicher in den Akten, richtig, Studer erinnerte sich an eine Seite, auf der stand:

»Frau Hofmann gibt auf Befragen an, der Angeklagte sei in der Mordnacht erst gegen ein Uhr heimgekommen...« Studer schüttelte den Kopf. Merkwürdig, daß diese belastende Tatsache ihn so gar nicht interessierte. Es war alles zu einfach aufgebaut: Ein Vorbestrafter, der einen Mord begeht, der natürlich kein Alibi hat, bei dem das Geld des Ermordeten gefunden wird, der nicht reden will, aber seine Unschuld beteuert, der einen Selbstmordversuch begeht... Es schmeckte – ja, das Ganze schmeckte nach einem schlechten Roman...

Aber natürlich, der unschuldig Schuldige, das war in diesem Fall eine recht reale Figur, ein Mensch, dem es schlecht gegangen war, der wieder eine Zeitlang auf den geraden Weg gekommen war, und der nun... Was hatte der Schlumpf in der Freizeit gelesen? Etwa auch Felicitas Rose? Oder John Kling? Eigentlich wäre das ganz interessant festzustellen. Das kleine Mädchen wußte es sicher, das Mädchen, das teure Füllfederhalter verschenkte... Hatte es eine Liebschaft mit dem Coiffeurgehilfen Gerber? Es sah eigentlich nicht so aus... Aber warum dann das teure Geschenk?... Der Füllfederhalter... Ja... Man trug den Füllfederhalter gewöhnlich in der linken Brusttasche des Rokkes oder in der oberen Westentasche. Man nahm ihn mit, besonders wenn man Bestellungen sammeln ging. Hatte ihn der Wendelin Witschi am Dienstag auch mitgenommen? ... Doch wann hatte er ihn seiner Tochter gegeben?... Die Taschen des Wendelin Witschi waren leer und auf dem Rücken seines Rockes hafteten keine Tannennadeln ...

Die Beiden betraten die Küche ... Im Schüttstein unaufgewaschenes Geschirr ... Auf dem Tisch stand ein Teller, Butter darauf, daneben lag ein Kamm.

Studer war allein, Sonja war verschwunden ...

Durch eine offene Tür betrat der Wachtmeister das anliegende Zimmer. Die Vorhänge vor den Fenstern waren grau, auf dem Klavier lag eine Staubschicht. Die Tür fiel zu. Es zog in diesem Haus. Durch die Erschütterung des Zuschlagens löste sich von dem Bilde, das über dem Klavier hing, eine graue Wolke ab. Das Bild stellte den seligen Wendelin Witschi vor, in jungen Jahren, und war wohl bei der Hochzeit aufgenommen worden. Zwischen den Spitzen des steifen Umlegkragens lugte ein kleiner schwarzer Kopf hervor. Der Schnurrbart war schon damals traurig gewesen. Und die Augen ...

Auf dem Tische, der eine Decke mit Fransen trug, rotgelb-blau lagen viele Hefte. Auch das schwere schwarze Büfett war mit Heften überdeckt.

Studer blätterte in den Heften. Sie waren alle von der gleichen Art: Bilder von Hunden oder von Kindern, eine Bergkapelle, ein Roman, Winke für die Hausfrau, graphologische Ecke. Und, auffällig, auf allen Titelblättern:

»Wir versichern unsere Abonnenten ... Bei Ganzinvalidität oder Tod zahlen wir aus ...«

Fünf verschiedene Sorten Hefte. Wenn alle die Versicherung auszahlten, ergab das ... es ergab eine ganz stattliche Summe ... Und was hatte der Notar Münch gesagt? Der alte Ellenberger habe Schuldbriefe und wolle sie kündigen?

Im oberen Stockwerk liefen Schritte auf und ab. Was machte Sonja dort oben, warum ließ sie ihn allein in der Wohnung? Es wurde ein schwerer Gegenstand gerückt. Studer lächelte. Das Mädchen machte wohl die Betten, jetzt am Abend. Eine merkwürdige Ordnung herrschte in der Familie Witschi...

Studer blätterte weiter in den Heften. Er stieß auf ein paar Stellen, die angestrichen waren und las:

»Da stieg es in ihr auf, heiß und brennend. Sie warf sich in seine Arme, sie umklammerte seinen Hals, als sollte sie ihn nie, nie mehr loslassen...«

Und weiter:

»Und wir, Sonja, mein süßes Lieb, mein holdes Weib – wir werden glücklich sein...«

»Leichenblaß bis in die Lippen, bebend an allen Gliedern, stand Sonja vor ihm...«

Studer seufzte. Er dachte an lauen Kaffee und an eine Frau, die am Morgen schmachtend war, weil sie in der Nacht zu viele Romane gelesen hatte...

Dann trat der Wachtmeister ans schwere Büfett. Gerade unter der Photographie des Wendelin Witschi stand oben auf dem Aufsatz eine Vase mit wächsernen Rosen und einigen Zweigen bunten Herbstlaubs. Und Witschi schien auf diese Vase zu schielen. Gedankenlos hob sie Studer herab, sie war merkwürdig schwer – übrigens war das Herbstlaub auch künstlich. Studer schüttelte die Vase. Es rasselte. Er kehrte die Vase um...

Zwei, vier, sechs, zehn – fünfzehn Patronenhülsen fielen heraus, Kaliber 6,5...

Im oberen Stock war es still geworden. Studer steckte

eine der Hülsen in seine Rocktasche, die andern ließ er in die Vase zurückgleiten, ordnete den Strauß und stellte ihn an seine alte Stelle. Es kamen Schritte die Treppe herunter. Studer öffnete die Küchentür und blieb auf der Schwelle stehen.

Der Herr Wachtmeister müsse entschuldigen, sagte Sonja, sie habe oben noch Ordnung machen wollen, wenn er das Haus besichtigen wolle? Die Mutter komme erst nach dem Neun-Uhr-Zug heim, so lange müsse sie auf dem Bahnhof bleiben ... Aber der Armin werde bald zurück sein.

Sonja plapperte und wich Studers Blick aus; aber sobald Studer beiseite sah, fühlte er, wie die Augen des Mädchens auf sein Gesicht gerichtet wurden, sah er wieder hin, klappten die Lider über die Augen. Lange Wimpern hatte das Mädchen. Die Stirn war gerundet, sprang ein wenig vor. Die Haare waren gebürstet. Sonja sah viel ordentlicher aus als heut morgen im Zuge.

– Übrigens lasse der Schlumpf sie grüßen, sagte Studer nebenbei. Er sah zum Fenster hinaus. Am Ende des Gemüsegartens stand ein alter, verfallener Schuppen. Die Tragstützen des Daches waren eingeknickt, einige Ziegel fehlten. Auch die Tür des Schuppens fehlte.

Sonja schwieg. Und als Studer sich umwandte, sah er, daß das Mädchen weinte. Es war ein hemmungsloses Weinen, das kleine Gesicht war verzogen, um die spitz vorspringende Nase gruben sich tiefe Falten ein, die Lippen waren verzerrt, und aus den Augen flossen die Tränen die Wangen herab, blieben am Kinn haften, tropften dann auf die Bluse. Die Hände waren geballt.

»Aber, Meitschi«, sagte Studer, »aber Meitschi!...« Unbehaglich wurde es ihm zumute. Schließlich fiel ihm nichts anderes ein, als sein Schnupftuch aus der Tasche zu ziehen, neben Sonja zu treten und ungeschickt die fließenden Tränen aufzutupfen.

»Komm, Meitschi, komm, hock ab...«

Sonja hatte sich an den Wachtmeister gelehnt, ihr Körper zitterte, die Schultern waren weich. Studer seufzte grundlos. »Komm, Meitschi, komm...«

Sonja setzte sich auf einen Stuhl. Ihre Arme lagen lang ausgestreckt auf der Tischplatte neben dem Teller mit dem Anken, neben dem Kamm...

Draußen wurde die Dämmerung dicht. Studer hatte wenig Zeit. Um halb acht Uhr sollte er bei Murmann zum Nachtessen sein...

Sonja dauerte ihn. Er wollte sie nicht ausfragen... Ihr Vater war tot, ihr Liebster saß in einer Zelle, tagsüber ging sie nach Bern schaffen, ihr Bruder ließ sich von einer Kellnerin Geld geben, und ihre Mutter las im Bahnhofkiosk Romane...

»Der Erwin«, sagte Studer sanft, »der Erwin hat mir gesagt, er lasse dich grüßen...«

»Und glaubet Ihr, daß er schuldig ist?«

Studer schüttelte stumm den Kopf. Einen Augenblick lächelte Sonja, dann kamen die Tränen wieder.

»Er wird's nicht beweisen können, daß er unschuldig ist...«, sagte sie schluchzend.

»Hast du ihm das Geld gegeben?«

Merkwürdig, wie ein Gesicht sich verändern konnte!... Sonja blickte starr vor sich hin, zum Fenster hinaus, in die

Richtung, wo der alte, verfallene Schuppen stand, dessen Eingang ein schwarzes Rechteck war... Und schwieg.

»Warum hast du dem Gerber, dem Coiffeur, den Füllfederhalter geschenkt?«

»Weil... weil... er etwas weiß...«

»So, so«, sagte Studer.

Er hatte sich an den Tisch gesetzt, das Hockerli war zu klein für seinen schweren Körper, er fühlte sich ungemütlich.

– Ob sie schon lange in dem Hause wohnten? fragte er. – Der Vater habe es bauen lassen mit dem Geld der Mutter, erzählte Sonja, und es schien, als sei sie froh, sprechen zu können. Der Vater sei bei der Bahn gewesen, als Kondukteur, und dann habe die Mutter eine Erbschaft gemacht. Die Mutter stamme von hier, aus Gerzenstein, der Vater sei aus dem Seeland gewesen. Die Mutter habe den Laden eingerichtet und der Vater habe weiter auf der Bahn geschafft. Während dem Krieg sei das Geschäft gut gegangen, es hätte damals noch wenig Läden gegeben in Gerzenstein. Da habe sich der Vater pensionieren lassen. Vielmehr, er sei einfach ausgetreten und habe auf die Pension verzichtet, weil er einen Herzfehler gehabt habe, und sie hätten ihm auf der Bahn Schwierigkeiten gemacht. Ja, während dem Krieg sei es gut gegangen. Der Armin habe später aufs Gymnasium können nach Bern, nachdem er hätte studieren sollen. Aber dann sei der große Bankkrach gekommen und die Eltern hätten alles verloren. Und dann sei es aus gewesen. Die Mutter sei hässig geworden und der Vater sei reisen gegangen. Aber er habe wenig verdient. Und alles sei so teuer! ... Die Mutter könne nicht mit dem Geld wirtschaften, sie gebe immer alles aus für Medizinen und solches Zeug. Der Onkel Aeschbacher sei ein- oder zweimal eingesprungen ... Die letzten Worte waren sehr stockend herausgekommen.

»Was ist's mit dem Onkel Aeschbacher?« fragte Studer.

Schweigen ...

»Und doch bist du ihn holen gegangen, wie du mich hast zur Frau Hofmann gehen sehen?«

Viel Qual drückte das Gesicht aus. Studer hatte Mitleid. Er wollte nicht weiter fragen. Nur eines noch:

»Wer ist der Lehrer Schwomm?«

Sonja wurde rot, holte Atem, wollte sprechen, die Stimme versagte, sie hustete, suchte nach einem Taschentuch, wischte sich die Augen mit dem Handrücken, stotterte dann:

»Er ist an der Sekundarschule, er ist Gemeindeschreiber, auch Sektionschef, und den gemischten Chor leitet er auch ...«

»Dann hat er viel mit dem Gemeindepräsidenten zu tun? Mit dem ›Onkel‹ Aeschbacher?«

Sonja nickte.

»Leb wohl.« Studer streckte ihr die Hand hin. »Und wein' nicht. Es kommt schon besser.«

»Lebet wohl, Wachtmeister«, sagte Sonja und streckte ihre kleine Hand aus. Die Nägel waren sauber.

Sie stand nicht auf und ließ Studer allein hinausgehen. Im Hausgang blieb Studer stehen und suchte nach seinem Schnupftuch, fand es nicht, erinnerte sich, daß er es in der Küche gebraucht hatte, kehrte an der Haustüre um und betrat, ohne anzuklopfen, die Küche.

Sie war leer. Die Tür zum andern Zimmer war offen ... Vor dem schweren schwarzen Büffet stand Sonja. Sie hielt die Vase mit den Wachsrosen und dem künstlichen Herbstlaub in der Hand und schien das Gewicht der Vase zu prüfen. Ihre Augen waren auf das Bild des Vaters gerichtet.

Auf dem Boden neben dem Küchentisch lag Studers Nastuch.

Studer ging leise zum Tisch, hob es auf, schlich zur Türe zurück:

»Gut' Nacht, Meitschi«, sagte er.

Sonja fuhr herum, stellte die Vase ab. Sie riß sich zusammen:

»Gut' Nacht, Wachtmeister ...«

Merkwürdig, ihr Blick erinnerte Studer an den des Burschen Schlumpf: Erstaunen lag darin und viel verstockte Verzweiflung.

Der Fall Wendelin Witschi zum zweiten

Nehmet Platz, Studer«, sagte Frau Murmann. Auf dem Tisch stand eine große Platte mit Aufschnitt und Schinken, es gab Salat, und an der einen Tischecke, dicht neben Murmanns Platz, standen vier Flaschen Bier.

»Und, Studer, ziehet den Kittel ab«, meinte Frau Murmann noch. Dann empfahl sie sich. Sie müsse das Kind stillen, sagte sie.

– Ob Studer etwas gefunden habe, fragte Murmann, ohne aufzublicken. Er war damit beschäftigt, ein Büschel Salatblätter auf seine Gabel zu spießen. Dann kaute er, andächtig und abwesend.

»Ich hab' den Cottereau gefunden ...«, sagte Studer und beäugte prüfend ein Stück saftigen Schinkens.

»So, so«, meinte Murmann. »Allerhand ...« Er leerte sein Bierglas auf einen Zug. Dann schwiegen die beiden.

In einer Ecke des Zimmers stand ein bunter Bauernschrank, dessen Türen Rosengirlanden umrankten ...

Murmann trug die Teller hinaus. Dann setzte er sich, zündete seine Pfeife an. »Also, erzähl! ...«

Aber Studer schwieg. Er griff in die hintere Hosentasche, zog die bei Frau Hofmann gefundene Pistole heraus und legte sie auf den Tisch. Dann suchte er in der Rocktasche, ließ die bei Witschis gefundene Patronenhülse im Licht der Lampe glänzen und fragte schließlich:

»Gehören die beiden zusammen?«

Murmann vertiefte sich in die Untersuchung. Er nickte ein paarmal ...

»Das Kaliber ist das gleiche«, sagte er still. »Ob die Hülse von der Waffe da abgeschossen worden ist, kann ich nicht so ohne weiteres sagen. Es sind heikle Sachen. Man müßte den Einschlag prüfen ... Wo hast du die Hülse gefunden?«

»In einer Vase auf dem Klavier im Wohnzimmer der Witschis. Es waren fünfzehn Hülsen in der Vase. Es hat so ausgesehen, als ob einer eifrig die Pistole probiert hätte ...«

»Ja?« sagte Murmann.

»Die Sonja fürchtet sich ... Ganz sicher vor mindestens vier Leuten: vor dem Coiffeurgehilfen, dem Lehrer Schwomm, vor ihrem Bruder und vielleicht auch vor dem ›Onkel‹ Aeschbacher.«

»Ja«, sagte Murmann, »das glaub' ich. Die Sonja meint, daß ihr Vater Selbstmord begangen hat. Aber wenn man Selbstmord annimmt, dann werden keine Versicherungen ausgezahlt. Und der Gerber, der Coiffeur, hat bemerkt, daß bei dem sogenannten Mord nicht alles stimmt. Und nun hat die Sonja Angst, er könne etwas sagen ... Verstehst du?«

»Erzähl' einmal die Geschichte von Anfang an. Ich brauch' weniger die Tatsachen als die Luft, in der die Leute gelebt haben ... Verstehst? So die kleinen Sächeli, auf die niemand achtgibt und die dann eigentlich den ganzen Fall erhellen ... Hell! ... Soweit das möglich ist, natürlich.«

Von großen Pausen unterbrochen, mit vielen Abschweifungen und ungezählten eingeschalteten »Nid?« und »Begriifscht?« erzählte Landjägerkorporal Murmann dem Wachtmeister Studer etwa folgende Geschichte:

– Der Witschi Wendelin hatte vor zweiundzwanzig Jahren geheiratet. Er war damals bei der Bahn gewesen. Das Ehepaar hatte zuerst eine Wohnung im Haus des Aeschbacher innegehabt, dann war eine Tante der Frau Witschi gestorben, die Erbschaft war ziemlich groß gewesen und da hatten sie sich entschlossen zu bauen ...

»Wie heißt übrigens die Frau Witschi mit dem Vornamen?« fragte Studer.

»Anastasia ... Warum?«

Studer lächelte, schwieg eine Weile, dann sagte er:

»Nur so, erzähl' weiter ...«

– Sie hatten also das Haus gebaut, Kinder waren gekommen, das Ehepaar schien glücklich zu sein. Die Frau war schaffig, sie hielt den Garten in Ordnung, sie bediente im Laden. Am Abend sah man die beiden einträchtig auf einer Bank vor dem Hause sitzen, der Witschi las die Zeitung, die Frau strickte ...

– – – Studer sah das Bild deutlich vor sich. Unter den Fenstern des ersten Stockes glänzte noch, neu und unverblaßt, der Name des Hauses, »Alpenruh«, und über der Tür der Spruch: »Grüß Gott, tritt ein, bring Glück herein.« Der Wendelin Witschi hockte auf der Bank, mit aufgekrempelten Hemdsärmeln, bisweilen legte er die Zeitung beiseite (er las sicher nur den Gerzensteiner Anzeiger), stand auf, um ein Zweiglein am Spalier anzubinden, das im Wind schaukelte, kam zurück ... Im Sand krabbelten die beiden Kinder. Die Luft war still. Heugeruch lag schwer in der Luft. Die Frau sagte: ›Du, loos einisch ...‹ Sehr viel Frieden. Die Ladenklingel schrillte. Man stand gemütlich auf, ging zusammen in den Laden, besprach mit den Kunden das Wetter, die Politik ... Der Wendelin (wie nannte ihn wohl seine Frau? Das müßte man eigentlich auch wissen ... Vatter? Wahrscheinlich. Das paßte am besten ...), der Wendelin hatte die Daumen in den Ausschnitten der Weste und war ein angesehener Bürger, verwandt mit dem Gemeindepräsidenten, Hausbesitzer ... Und dann, Jahr für Jahr, die Änderungen ... Die Frau, die hässig wird, die Frau, die Romane liest, dann die finanziellen Schwierigkeiten, der Sohn, der sich auf die Seite der Mutter schlägt, der Garten, der verlottert, der Wendelin, der reisen geht, der Wendelin, der Schnaps trinkt, die Zeitschriften mit den Versicherungen ... Bei Ganzinvalidität war die Summe doch gerade so hoch wie bei Todesfall ... Aber als Bild, das sich nicht vertreiben ließ, sah Studer immer die Bank vor dem Haus, die Kinder, die am Boden spielten, das lockere Zweiglein, das im Winde schwankte, und das der Wendelin mit einem gelben Bastfaden festband ...

Studer hatte eine Weile nicht mehr zugehört, jetzt horchte er auf, denn Murmann sagte:

»... und einen Hund hat er auch gehabt. Einmal, wie der Witschi halb besoffen nach Haus gegangen ist, haben ihn ein paar Burschen angeödet. Da hat der Hund gebellt und ist auf die Burschen los. Einer hat ihn mit einem Stein totgeschlagen ...«

Das gehörte natürlich auch dazu. Der Witschi, der sich einsam fühlt und sich einen Hund hält. Wahrscheinlich war der das einzige Wesen, das ihm keine Vorwürfe machte, vor dem er klagen konnte ... Und wieder versank Studer ins Träumen.

––– Er sah die Familie Witschi um den Tisch sitzen, im

Wohnzimmer, das er kannte. In der Ecke stand das staubige Klavier. Der Witschi versuchte Zeitung zu lesen... Und die keifende Stimme der Frau: Versichert seien sie und das viele Geld, das man der Versicherung gezahlt habe! Die Frau dachte nicht daran, daß schließlich sie bis jetzt alle Vorteile genossen hatte von dieser Versicherung, die bunten Heftli mit den Romanen darin... Waren diese Romane nicht etwas Ähnliches für die Anastasia Witschi wie für ihren Mann der Schnaps? Eine Möglichkeit, der Öde zu entrinnen, zu fliehen in eine Welt, in der es Komtessen gab und Grafen, Schlösser und Teiche und Schwäne und schöne Kleider und eine Liebe, die sich in Sprüchen Luft machte, wie: »Sonja, meine einzig Geliebte...«

Murmann schwieg schon eine geraume Weile. Er wollte den Wachtmeister nicht in seinen Träumen stören. Plötzlich schien Studer das Schweigen aufzufallen. Er schreckte auf.

»Nur weiter, nur weiter... Ich hör schon zu...«

– Es scheine nicht, meinte Murmann, über was denn Studer so tief nachgedacht habe? – Er werde es ihm später sagen. Murmann solle jetzt die beiden Tage schildern, die Entdeckung der Leiche, die Untersuchung, die Flucht des Schlumpf... – Da sei nicht viel zu sagen, nicht mehr auf alle Fälle, als was in den Akten stünde. Studer solle einen Augenblick warten...

Murmann stand auf, um die Akten zu holen...

Die Stille im Zimmer war tief... Studer ging zum Fenster und öffnete einen Flügel.

Deutlich durch die Nacht drang ein Summen zu ihm.

Er kannte das Lied. Eine Kleinmädchenstimme hatte es gestern vor einem Zellenfenster gesungen:

»O, du liebs Engeli ...«

Das Summen rieselte von oben durch das Dunkel. Frau Murmann sang ihr Kind in den Schlaf ...

Der Landjäger kam zurück. Er trug lose Blätter in der Hand, setzte sich, breitete sie vor sich aus und begann zu sprechen. Studer stand am Fenster, gegen die Wand gelehnt.

– Der Cottereau – übrigens, wie habe Studer den Cottereau entdeckt? – Studer winkte ab: Später ...

– Also der Cottereau sei in den Posten gestürzt gekommen und habe wirres Zeug durcheinandergeredet von einem Toten, der im Wald liege ... Ein Ermordeter! ...

»Ich hab' an den Regierungsstatthalter telephoniert, bevor ich aufgebrochen bin, und der hat versprochen zu kommen. Vor der Türe hab' ich den Gemeindepräsidenten Aeschbacher getroffen, der war vom Lehrer Schwomm begleitet. Das war nichts Merkwürdiges, denn der Schwomm ist Gemeindeschreiber. Die beiden haben sich aufgedrängt, der Aeschbacher hat sofort die Untersuchung in die Hand nehmen wollen ... Da ist er aber schlecht angekommen. Ich laß mir nichts vorschreiben. Aber ich habe den Photographen des Dorfes beigezogen ...«

– Sie seien dann zu fünft nach dem Tatort gegangen, der Präsident, Schwomm, der Photograph und er, Murmann ... Cottereau habe sie geführt ... Am Tatort angekommen, habe Murmann den Photographen angewiesen, ein paar Aufnahmen zu machen, und der Mann habe das ganz richtig gemacht.

»Sicher«, sagte Studer, »der hat gut gearbeitet. Hast du auch bemerkt, daß keine Tannennadeln auf dem Rücken des Rockes zu sehen waren?«

Murmann schüttelte den Kopf.

– Das sei ihm nicht aufgefallen. Aber wenn Studer es bemerkt habe, dann sei das ja die Hauptsache ... Der Gemeindepräsident habe immer dreinreden wollen: das sei ein Mord, habe er gesagt, sicher ein Raubmord, und niemand anders habe ihn begangen als einer der Verbrecher, die der Ellenberger bei sich angestellt habe ... Natürlich seien ein Haufen Leute bei der Entdeckung dabei gewesen, so daß es dem Statthalter nicht schwer gefallen sei, die Stelle zu finden. Sie hätten dann noch den Dr. Neuenschwander geholt, der den Tod festgestellt und den Witschi ins Gemeindespital habe bringen lassen. Murmann habe verlangt, die Sektion solle im Gerichtsmedizinischen Institut ausgeführt werden. Dr. Neuenschwander sei ärgerlich geworden, habe dann aber auch eingewilligt, nur habe er ein Protokoll aufgesetzt und es »Sektionsprotokoll« getauft, auch mit einer Sonde die Schußwunde untersucht und dann in gelehrten Ausdrücken ihre mutmaßliche Stellung festgehalten ...

»Die Taschen waren leer?«

»Ganz leer«, sagte Murmann. »Und das ist mir auch aufgefallen.«

»Warum?«

»Ich weiß selber nicht ...«

»Aber an dem Tag soll der Witschi dreihundert Franken bei sich gehabt haben? Er hat doch Rechnungen einkassiert? Und von daheim noch Geld mitgenommen?«

– Von daheim habe er sicher kein Geld mitgenommen, darauf möchte er, Murmann, schwören. Aber hundertfünfzig Franken habe er wohl gehabt, er habe Rechnungen einkassiert, und die Bauern, bei denen er gewesen sei, hätten telephonisch die Sache bestätigt ...

»Weiter!« sagte Studer. Er hatte eine Brissago angezündet ...

– Der Statthalter sei ein schüchternes Mannli, erzählte Murmann, und habe immer dem Aeschbacher zugestimmt. Der habe betont, es handle sich um einen Mord, und das sei Murmann merkwürdig vorgekommen. Er für sein Teil sei sicher, daß Witschi sich umgebracht habe ...

»Nicht gut möglich«, sagte Studer. »Der Assistent im Gerichtsmedizinischen hat's mir vordemonstriert. Es müßten Pulverspuren vorhanden sein. Zugegeben, der Witschi hatte lange Arme, aber stell' dir einmal vor, wie er hätte die Waffe halten müssen ...« Er trat ins Lampenlicht, nahm den Browning vom Tisch, prüfte, ob er gesichert sei (das Magazin war zwar leer, aber ...) und hob ihn dann ... Studer versuchte jene Stellung nachzuahmen, die ihm der italienische Assistent vordemonstriert hatte. Da sein Arm ziemlich dick war, gelang es ihm nicht.

Murmann schüttelte den Kopf. Witschi sei gelenkig gewesen, so daß eine Möglichkeit immerhin vorhanden sei ...

»Erzähl' weiter!« unterbrach ihn Studer.

– Es sei nicht mehr viel zu erzählen. Auf Befehl des Statthalters habe er, Murmann, am Nachmittag noch die Arbeiter vom Ellenberger einem Verhör unterworfen. Aber es sei nichts dabei herausgekommen. Er sei dann zu den Witschis gegangen, habe aber nur den Sohn daheim angetroffen. Der habe nichts sagen wollen... Schließlich habe der Armin gemeint, er habe gehört, der Vater sei im Wald ermordet worden, aber das sei Sache der Polizei.

»Nun bin ich doch stutzig geworden. Ich hab' doch am Morgen extra den Photographen hinaufgeschickt, damit er die Familie auf den Todesfall vorbereite... Und denk' dir, da sagt mir der Bursch, es sei eigentlich ein Glück, daß der Vater tot sei, sonst hätt' man ihn doch in der nächsten Zeit administrativ versorgt...«

»Und die dreihundert Franken?«

»Ich bin dann zum Bahnhofkiosk gegangen und hab' die Frau Witschi ausgefragt. Die hat mir erzählt, ihr Mann habe am Morgen hundertfünfzig Franken mitgenommen. Ich hab' wissen wollen, warum er so viel Geld mitgenommen hat. Aber sie hat nur immer behauptet, ihr Mann habe das Geld gebraucht. Sonst hat sie nichts sagen wollen. Und dann hat die Frau Witschi weiter gesagt – genau wie ihr Sohn – mit ihrem Mann sei es nicht mehr zum Aushalten gewesen, er habe immer mehr und mehr gesoffen und der Aeschbacher habe gemeint, man müsse ihn versorgen. Sie habe dem Wendelin kein Geld mehr gegeben, aber der Ellenberger, der habe immer ausgeholfen, sich Schuldscheine ausstellen lassen... Ja, hab' ich gemeint, aber die hundertfünfzig Franken, die der Witschi mit auf die Reise genommen habe, woher denn die seien? Da hat sie gemerkt, daß sie sich widersprochen hat, hat zuerst etwas gestottert, der Mann habe sie notwendig gebraucht, und darum habe sie ihm das letzte Geld gegeben, dann hat sie nichts mehr sagen wollen...«

»Du meinst also, der Witschi hat die dreihundert Franken für irgend etwas gebraucht?«

»Ja, schau, das wär' dann ganz einfach. Der Witschi erschießt sich im Wald. Er hat den Schlumpf an die gleiche Stelle bestellt, sagen wir um elf Uhr. Der Schlumpf muß den Browning holen, denn wenn die Waffe neben der Leiche bleibt, wird niemand an einen Mord glauben. Der Schlumpf soll die Waffe beiseite schaffen und, wenn es nötig ist, sich anklagen lassen, dafür bekommt er dreihundert Franken und dann wird ihm versprochen, er darf die Sonja heiraten, wenn die Untersuchung niedergeschlagen worden ist... Das wird man ihm mundgerecht gemacht haben, der gute Tschalpi hat sich das einreden lassen und jetzt steckt er im Dreck...«

»Und du meinst, er darf nichts sagen?«

»Natürlich, sonst reißt er die Sonja in die Geschichte hinein...«

»Du, Murmann... Oder nein, sag mir zuerst, wer hat dir gemeldet, daß der Schlumpf im ›Bären‹ eine Hunderternote gewechselt hat?«

»Das kann ich dir nicht einmal sagen. Ich hab' an dem Abend da nebenan meinen Rapport geschrieben. Da hat das Telephon geläutet, ich hab' den Hörer abgenommen, mich gemeldet, aber der andere hat seinen Namen nicht gesagt, nur ganz schnell gemeldet: ›Der Schlumpf hat im Bären einen Hunderter gewechselt‹, und wie ich gefragt hab', wer dort ist, hat es geknackt, der andere hat schon eingehängt gehabt...«

»Und was hast du dann gemacht?«

»Ich hab' nicht pressiert, hab' meinen Rapport fertig geschrieben, dann um Mitternacht hab' ich die Runde gemacht durch alle Wirtschaften. Im ›Bären‹ hab' ich den Wirt beiseite genommen und ihn gefragt, ob das wahr sei, daß der Schlumpf eine Hunderternote gewechselt habe. ›Ja‹, hat er Wirt gesagt. ›Heut' abend, so um neun Uhr. Der Schlumpf hat einen halben Liter Roten bestellt, dann einen Kognak getrunken, nachher zwei große Bier, und auf das Ganze noch einen Kognak! ...‹ Mich hat's gewundert, daß der Schlumpf so viel getrunken hat, und ich habe den Wirt gefragt, ob der Schlumpf immer so saufe? Nein, hat der Wirt gesagt, sonst nicht, und ihn habe es auch gewundert. Vielleicht, hat der Wirt gemeint, müsse der Schlumpf die Sonja aufgeben, jetzt, wo der Vater tot sei ... Ich hab' dann noch telephoniert, ob ich den Schlumpf verhaften soll, und der Statthalter hat mir den Befehl gegeben ... Aber wie ich dann am Morgen den Burschen hab' holen wollen, war er fort. Dann hab' ich an die Polizeidirektion telephoniert ...«

»Ja«, sagte Studer, »und dann durfte ich am Freitag den Schlumpf verhaften ... Und das Zimmer vom Schlumpf, das hast du durchsucht? Und dort etwas gefunden?«

Murmann schüttelte seinen breiten Schädel.

»Nichts«, sagte er. »Wenigstens nichts Belastendes.«

»Waren Bücher im Zimmer?«

Murmann nickte.

»Was für Bücher?«

»Ah, weißt du, so Heftli mit bunten Titeln: ›In Liebe vereint‹ und ›Unschuldig schuldig‹ ...«

»Bist du sicher, daß eins so geheißen hat?«

»›Unschuldig schuldig‹? Ja, ganz sicher. Und dann

waren da noch so Detektivgeschichten. John Kling heißen sie, glaub' ich. Weißt, so richtige Räuberromane ...«

»Ja«, sagte Studer, »ich weiß ...«

Er stand schon lange wieder im Schatten, beim Fenster. Jetzt drehte er sich um. Vorn auf der Landstraße rasten die Autos vorbei. Und nachdem Studer den Schein von drei Wagen hatte vorbeihuschen sehen, fragte er leise, ohne sich umzuwenden:

»Der Aeschbacher, der hat doch auch einen Wagen?«

»Ja«, sagte Murmann. »Du meinst wegen der Geschichte mit dem Cottereau? Aber da irrst du dich ... Der Ellenberger hat mich doch nach dem Unfall geholt, damals, wie er mit dem Cottereau angefahren worden ist, bös hat der Alte ausgesehen. Ich hab' natürlich sofort den Gemeindepräsidenten angeläutet und der ist mit seinem Wagen gekommen. Er hat sogar noch den Gerber mitgebracht, den Coiffeurgehilfen, weißt du, der hat sein Motorrad mitgenommen. Und ich bin mit Aeschbacher gefahren. Wir haben den Cottereau die ganze Nacht auf den Straßen gesucht. Vorher hab' ich sogar noch in Bern angeläutet, sie sollen auf Strolchenfahrer aufpassen. Aber es ist nichts dabei herausgekommen. Wo hast du den Cottereau gefunden?«

»Im Wald«, sagte Studer nachdenklich. »Dort, wo ihr ihn nicht gesucht habt ... Aber er hat nichts sagen wollen.«

Schweigen. Im Nebenhaus links krächzte ein Lautsprecher. Es klang wie das Bellen eines heiseren Hundes.

»Du«, sagte Studer plötzlich. »Der Ellenberger hat dir doch damals gesagt, du solltest seinen Obergärtner durch das Radio suchen lassen? Nicht wahr?«

Murmann nickte:

»Ich hab's nur auf der Polizeidirektion sagen lassen, und die hat dann das Weitere veranlaßt.«

»Ich will einmal schauen, ob wir den Apfel nicht schneller zum Reifen bringen können.«

Murmann starrte seinen Kollegen an. Was machte der Studer für blöde Sprüche? Murmann war eben nicht dabei gewesen damals.

»... und andere, die müßt Ihr einkellern, die werden erst im Horner gut... Abwarten, Wachtmeister, bis der Apfel reif wird...«

Aber Studer haßte das allzu lange Warten. Später wäre es ihm lieber gewesen, er hätte auf den alten Ellenberger gehört, denn die beiden Aufträge, die er telephonisch nach Bern erteilte, gaben so merkwürdige Resultate, daß sie die ohnehin verwirrte Geschichte noch mehr durcheinander brachten. Aber das konnte Studer natürlich nicht wissen...

»Morgen ist Musik im ›Bären‹, da spielen deine Freunde...«, sagte Murmann beim Abschied. »Der Aeschbacher kommt und auch der alte Ellenberger...«

»Das kann lustig werden«, sagte Studer. Dann erkundigte er sich, wie Murmanns Frau eigentlich mit dem Vornamen heiße: Anny oder Emmy?

– Nein, sagte Murmann, sie heiße Ida, und er rufe sie Idy. Und ob Studer eigentlich einen Vogel habe, daß er sich so um die Vornamen von Frauen interessiere?

Studer schüttelte den Kopf.

– Das sei nur so eine Angewohnheit, meinte er und grinste auf den Stockzähnen. Gute Nacht.

Nach ein paar Schritten aber kehrte er wieder um.

»Du, Murmann«, fragte er. »Hast du auch die Küche bei der Frau Hofmann durchsucht?«

»Oberflächlich. Ich hab' gemeint, ich könnt' den Browning finden ...«

»Besinnst du dich, im Küchenschaft, auf dem oberen Brett, da war doch ein Stoß Packpapier ...«

»Ja, ja, an das erinnere ich mich gut. Es war darunter ein Bogen blaues Papier, wie man es zum Einwickeln von Zukkerhüten braucht. Ich hab' den Stoß herausgenommen, während die Frau in den Laden gegangen ist und hab' ihn durchgeblättert. Es war nichts zu finden. Warum?«

»Weil ich die da«, Studer klopfte auf seine hintere Hosentasche, »unter dem blauen Packpapier gefunden hab' ...«

»A bah ...«, sagte Murmann, holte seinen Tabaksbeutel hervor und stopfte seine Pfeife. »A bah ...«, sagte er noch einmal.

»Und in der Küche sind seither gewesen: Sonja, der Lehrer Schwomm, der Coiffeur Gerber – aber auf alle Fälle nicht der Schlumpf. Ja, und jetzt will ich in den ›Bären‹.«

»Paß dann auf, um elf Uhr«, sagte Murmann und stieß Wolken aus seiner Pfeife. »Der Aeschbacher hockt sicher bei seinem Jaß ...«

Der Daumenabdruck

Die Nacht war kühl. Studer fröstelte während der kurzen Strecke vom Posten zum »Bären«. Er beschloß, noch einen Grog zu trinken, der Schnupfen meldete sich wieder mit Druck im Kopf und einem unangenehmen Jukken im Hals. Aber der Wachtmeister wollte nicht in der Gaststube sitzen. Er fragte den Wirt, der in der Haustüre stand, ob nicht ein Nebenzimmer da sei. Der Wirt nickte.

Der Raum lag neben der Gaststube, die Verbindungstüre stand offen. Drüben war es ziemlich laut, ein Summen von vielen Stimmen, darüber wogten Melodiefetzen, die der Lautsprecher spuckte (Gut, ist er eingeschaltet, dachte Studer); dann sagte eine Stimme: »Fünfzig vom Trumpfaß mit Stöck und Dreiblatt vom Nell...« Bewundernde Ausrufe wurden laut. Dann sagte die gleiche Stimme: »Und Matsch...«

Der Tonfall dieser Stimme erinnerte Studer an irgend etwas. Er kam aber erst darauf, als der Ansager sich im Radio meldete: »Sie hören nun zum Schluß unseres Unterhaltungskonzertes...« Ja, der Ansager sprach hochdeutsch, aber sein Tonfall, seine Art zu sprechen, glich der Stimme, die den unerhörten »Wiis« proklamiert hatte...

Die Wirtin brachte den Grog, sie setzte sich zu Studer, fragte, wie es gehe, ob die Untersuchung Fortschritte mache, nach ihrer Meinung sei natürlich der Schlumpf der

Verbrecher... Aber da seien eben noch andere daran schuld, daß solche Verbrechen in einem stillen Dorf, wie Gerzenstein passieren könnten...

Es war gespenstisch. Die Wirtin redete und Studer hatte den Eindruck, das Gritli Wenger jodeln zu hören. Und als der Wirt auch noch dazu kam (viel jünger schien er als seine Frau, er hatte O-Beine und war, wie sich später herausstellte, Dragonerwachtmeister), ja, als der Wirt zu sprechen begann, hatte er wahr- und wahrhaftig die Stimme des Konditorkomikers Hegetschweiler.

Wo hatten die Leute ihre Stimmen gelassen? Waren sie vom Radio vergiftet worden? Hatten die Gerzensteiner Lautsprecher eine neue Epidemie verursacht? Stimmenwechsel?

Da, da war es wieder...

Draußen beklagte sich einer, er habe nichts mehr zu trinken, und er sprach diese einfachen Worte in so singendem Tonfall, daß Studer meinte, den Schlager zu hören: »Ich hab' kein Auto, ich hab' kein Rittergut...«

Der Wachtmeister trat vorsichtig an die Verbindungstür, er hielt sich ein wenig hinter dem Pfosten versteckt und übersah den Raum.

Am Tisch, an dem er zu Mittag gegessen hatte, saßen vier Männer. Am auffälligsten war einer, der sich in die Ecke gedrückt hatte. Es war ein schwerer, dicker Mann. Ein grauer Katerschnurrbart starrte stachelig über seiner Oberlippe, das Gesicht war rot und lief nach oben spitz zu, das Kinn war in Fettfalten eingebettet. Der Kopf glühte, in die Stirne fiel eine einsame, braune Locke.

Wer er Mann dort sei, fragte Studer leise die Wirtin.

Der mit dem spitzen Gring? Das sei der Aeschbacher, der Gemeindepräsident. Studer lächelte, er mußte an den alten Ellenberger denken und an seine kurze, aber treffende Charakterisierung: eine Sau, die den Rotlauf hat... Es stimmte aber doch nicht ganz, dachte Studer bei sich. Der Aeschbacher hatte merkwürdige Augen, sehr, sehr merkwürdige Augen. Verschlagen, gescheit... Nein, ein zweitägiges Kalb war *der* nicht!

Der Gemeindepräsident hatte als Spielpartner einen Mann, der statt eines Kopfes einen hellgelben, riesigen Badeschwamm zu tragen schien. Studer sah den Mann nur von hinten, jetzt hörte er aber auch dessen Stimme:

»Ich muß leider, leider schieben ...«

Es war die Stimme, die sich vorher beklagt hatte, es sei nichts mehr zum Trinken da, die Stimme, die wie die eines Coupletsängers klang.

»Und wer spielt mit dem Gemeindepräsidenten?« fragte Studer.

»Das ist der Lehrer Schwomm.«

»Der hat seinen Namen verdient«, dachte Studer. Das blonde Haar war gekräuselt. Der Mann trug einen hohen steifen Kragen, sein dunkler Rock war sicher nach Maß gearbeitet... Studer sah noch die Hände. Die Härchen darauf schimmerten im Lampenlicht.

An einem anderen Tisch saßen vier junge Burschen – Armin Witschi war dabei und der Coiffeurgehilfe Gerber, die beiden andern waren erst halberwachsen, sie hatten noch Flaum auf den Wangen und ihre Hosen waren zu kurz. Jetzt, da sie saßen, endeten sie in der Mitte der Waden –, auch sie spielten. Eben hatte der Lautsprecher verkündet:

»Sie haben soeben als Schluß unseres Abendkonzertes gehört…« Niemand blickte auf. Die Stimme fuhr fort: »Bevor wir Ihnen nun die Wettervoraussage mitteilen, haben wir Ihnen noch eine Bekanntmachung der kantonalen Polizeidirektion zu übermitteln: Es handelt sich um den heute mittag als vermißt gemeldeten Jean Cottereau, Obergärtner in den Baumschulen Ellenberger…« Studer kannte die Mitteilung, in Bern hatten sie sich beeilt, sie durchzugeben. Nun war er neugierig, wie sie wirken würde.

»Der Mann ist zurückgekehrt. Er hat weder über seine Angreifer noch über die Ursache seiner Entführung genauere Mitteilungen machen können, jedoch ist Wachtmeister Studer, der mit den Ermittlungen über den schon gemeldeten Mordfall in Gerzenstein betraut ist, der Meinung, daß besagter Mordfall in engem Zusammenhang mit der Entführung des Obergärtners Cottereau und der Verletzung des Herrn Ellenberger steht. Personen, die Näheres über diesen Fall wissen, werden gebeten, sich auf dem Landjägerposten Gerzenstein zu melden oder der kantonalen Polizeidirektion telephonische Mitteilung über ihre Wahrnehmungen zu machen.«

Pause.

Studer war unter die Tür getreten und beobachtete die Wirkung der Worte.

Die vier jungen Burschen schienen erstarrt. Auf dem Jaßdeckli lag der letzte Stich, fast in der Mitte, vier Karten übereinander, aber keine Hand regte sich, um den Stich zu kehren. Die Kartenfächer hielten sie gegen die Brust gepreßt.

Am Tisch des Gemeindepräsidenten schien niemand weiter erschüttert. Das Spiel war eben frisch gegeben worden. Aeschbacher hielt sein Kartenpäckli in der Hand, die andere Hand stützte den riesigen roten Kopf. Der Mund war leicht verzogen, der Schnurrbart sträubte sich. Der Lautsprecher fuhr fort:

»Wahrscheinlich wird die zuständige Staatsanwaltschaft eine Be...«

Aeschbacher winkte und sagte mit der Stimme, die große Ähnlichkeit mit der des Ansagers hatte:

»Ich habe genug von dem Geschnörr, abstellen!«

Nur auf diesen Befehl schien die Saaltochter gewartet zu haben. Ein Knacken. Stille.

Die Holztische schimmerten hell, frisch gescheuert, die Spieldecken zeichneten schwarze Rechtecke darauf. Auf den Literkaraffen spiegelte sich der gelbe Schein der zwei Deckenlampen. Deutlich hörte Studer das Anstreichen eines Zündholzes an der gerillten Fläche des porzellanenen Aschenbechers. Gemeindepräsident Aeschbacher zündete seinen erloschenen Stumpen an, dann sagte er laut in die Stille:

»Bringet den Burschen dort einen Liter Roten auf meine Rechnung...«

Murmeln am Tisch Armin Witschis:

»Merci, Herr Gemeindepräsident, dank au...«

Dann begann sich die Gruppe wieder zu bewegen. Auch das war ein wenig gespenstisch. Es sah aus, als werde bei Automaten ein Schalter gedreht. Sie begannen plötzlich die gewohnten Bewegungen, die Kartenfächer hoben sich vor die Augen, die Karten fielen auf den Tisch.

Aufgereckt an seinem Platz saß Aeschbacher. Immer noch hielt er das Kartenpäckli in der Hand. Sein Blick war starr auf die Gruppe der spielenden Burschen gerichtet, so, als ob er sie zwingen wolle, in seine Richtung zu blicken. Aber die Burschen waren ins Spiel vertieft. Die Saaltochter trat zu ihnen, sie drückte sich zärtlich an Armin Witschi, während sie langsam den Liter Rotwein auf den Tisch stellte. Das schien Armin zu stören, er wandte sich brüsk um – und da bemerkte er Aeschbachers Starren. Der Gemeindepräsident winkte mit dem Kartenpäckli. Armin stand gehorsam auf, trat an den Tisch der Herren. Der Gemeindepräsident flüsterte Armin eifrige Worte zu. Und da bemerkte Studer plötzlich, daß ihn Aeschbachers Augen nicht losließen. Der Wachtmeister stand allein in der Tür, die Wirtin war fortgegangen, er sah deutlich den Wink, mit dem Aeschbacher den Armin Witschi auf ihn aufmerksam machte. Nun schielte auch Armin zum Wachtmeister. Studer fühlte sich unbehaglich, am liebsten hätte er jetzt seinen Grog getrunken, der wurde sicher kalt... Aber er wollte noch das Ende der Pantomime betrachten.

Aber es geschah nichts mehr.

»Aeschbacher, du machst Trumpf«, sagte der Mann, der einen Schwamm statt eines Kopfes zu tragen schien, der Mann, dem ein Couplet im Halse sang, der Lehrer Schwomm...

»Ja, ja«, sagte der Präsident ärgerlich. Aeschbacher winkte Armin, er könne nun gehen. Mit einem einzigen Griff breitete er das Kartenpäckli fächerförmig auseinander: »Geschoben!« schnauzte er. Und zur Saaltochter:

»Berti, mach' Tür zu, es zieht...«

Studer kehrte zu seinem Grog zurück. Die Verbindungstür fiel zu.

Im kleinen Zimmer zog sich Studer aus. Dann trat er, im Pyjama, ans offene Fenster und blickte über das stille Land. Der Mond war sehr weiß, manchmal zogen Wolken vor ihm vorbei, das Roggenfeld war merkwürdig bläulich ...

Und der Wachtmeister erinnerte sich an einen guten Bekannten, mit dem er einmal in Paris zusammengearbeitet hatte. Madelin hieß er und war Divisionskommissär bei der Police judiciaire gewesen. Ein magerer, gemütlicher Mann, der unglaubliche Mengen Weißwein vertilgen konnte, ohne betrunken zu werden. Als Extrakt seiner zwanzigjährigen Diensterfahrung hatte er Studer einmal folgendes gesagt:

»Studer (er sagte ›Stüdère‹), glaub mir: Lieber zehn Mordfälle in der Stadt als einer auf dem Land. Auf dem Land, in einem Dorf, da hängen die Leute wie die Kletten aneinander, jeder hat etwas zu verbergen ... Du erfährst nichts, gar nichts. Während in der Stadt ... Mein Gott, ja, es ist gefährlicher, aber du kennst die Burschen gleich, sie schwatzen, sie verschwatzen sich ... Aber auf dem Land! ... Gott behüte uns vor Mordfällen auf dem Land ...«

Studer seufzte. Der Kommissär Madelin hatte recht.

Und dunkel bohrte in ihm noch der Vorwurf, daß er es unterlassen hatte, den Browning mit der nötigen Vorsicht zu behandeln. Vielleicht hätte man doch Fingerabdrücke darauf feststellen können? Aber was hätte das genützt? Er konnte doch nicht den Lehrer Schwomm oder gar den Gemeindepräsidenten Aeschbacher mit einem Tintenkissen und Formularen besuchen und sie freundlichst bitten, doch die Güte zu haben und ihre werten Fingerspitzen auf diesen amtlichen Papieren zu verewigen ... Gewiß, es gab ja andere Methoden, sich Fingerabdrücke zu verschaffen: Zigarettendosen – aber Studer rauchte keine Zigaretten, und dann waren diese Methoden alle so kompliziert. In Büchern machten sie sich gut, in Spionagebureaux schien man manchmal Erfolg mit ihnen zu haben ... aber in der Wirklichkeit? ... Studer nieste und ging ins Bett ...

––– Er saß in einem riesigen Hörsaal, eingezwängt in eine schmale Bank. Der Deckel des Pultes vor ihm drückte ihn schmerzhaft auf den Magen, er konnte die Beine nicht strecken. Die Luft im Raum war stickig, er konnte nicht recht atmen. Vor einer schwarzen Wandtafel ging ein Mann in weißem Mantel rastlos auf und ab. Er sprach. Und auf die Wandtafel war mit Kreide ein riesiger Daumenabdruck gezeichnet. Die Linien darin bildeten verrückte Muster, Schleifen, Spiralen, Berge, Täler, Wellen. Gerade Striche waren von den einzelnen Linien aus gezogen, ragten über den Abdruck hinaus und trugen an ihrem Ende Nummern. Und der Mann, der vor der Tafel hin und her lief, zeigte auf die Nummern und dozierte: »Von der Wiege bis zum Grabe bleiben die Kapillaren identisch, merken Sie sich das, meine Herren, und wenn zwölf Punkte übereinstimmen, so haben Sie den mathematischen Beweis. Dies ist der Daumen, meine Herren, der Daumenabdruck eines Mannes, der durch die Unachtsamkeit eines Beamten verlorengegangen ist und den ich nach meiner neuen Methode des fernen Wellensehens zur restitutio ad integrum gebracht habe. Der Schuldige sitzt zwischen Ihnen, ich will ihn nicht nennen, denn er ist gestraft genug. Er wird in Pension gehen müssen und in seinem Lebensalter verhungern, denn er hat pflichtvergessen gehandelt. Denn dieser Daumen, meine

Herren und Damen ...« In der ersten Bankreihe saß Sonja Witschi, sie trug ein weißes Kleid und blickte mit Verachtung auf Studer. Das schmerzte Studer sehr. Am meisten aber tat ihm weh, daß der Gemeindepräsident Aeschbacher neben Sonja saß und seinen Arm um die Schultern des Mädchens gelegt hatte. Studer wollte sich unter der Bank verstecken, er fühlte, daß die Blicke aller Zuhörer auf ihn gerichtet waren, er konnte nicht, die Bank war zu eng ... Da stand plötzlich in der Tür des Saales der Polizeihauptmann und sagte laut: »Hast dich wieder blamiert, Studer? Komm her, komm sofort her ...« Studer zwängte sich aus der Bank, Sonja und Aeschbacher lachten ihn aus, der Herr im weißen Mantel war plötzlich der Lehrer Schwomm, und er sang: »Das ist die Liebe, die dumme Liebe ...« Aeschbacher hatte noch immer seinen Daumen aufgereckt, der wuchs und wuchs, schließlich war er so groß wie die Zeichnung auf der Tafel... »Poroskopie«, rief der Lehrer Schwomm im Arztkittel, »Daktyloskopie!« schrie er. Und am Fenster stand der Kommissär Madelin, sah böse drein und fluchte: »Haben Sie Locard vergessen, Stüdère, fünfzehn und sechs und sechs und elf Punkte, das war zur Überführung genügend im Falle Desvignes. Und im Falle Witschi? ... Alles vergessen, Stüdère? Schämen Sie sich.« Der Polizeihauptmann aber zog ein Paar Handschellen aus der Tasche und fesselte Studer. Dazu sagte er: »Aber ich zahl' dir keinen Halben Roten im Bahnhofbuffet. Ich nicht!« Studer weinte, er weinte wie ein kleines Kind, die Nase stach ihm, er zottelte hinter dem Polizeihauptmann her. Auf dem Rücken des Mannes, ganz nah vor Studers Augen, hing eine weiße Tafel. Darauf war wieder der Daumenabdruck. Und darunter stand in dicker Rundschrift: »Keine Tannennadeln, aber ein verlorengegangener Abdruck ...« Dann saß Studer in einer Zelle, zwei Betten waren darin. Auf dem einen lag der Schlumpf, eine blaue Zunge hing ihm aus dem Mund. Auch er hielt den Daumen der Rechten aufgereckt und blinzelte mit den Lidern. Er erhob sich, immer noch hing die Zunge aus seinem Mund, er schritt auf Studer zu, stand vor ihm und wollte ihm den Daumen ins Auge stoßen. Studer war gefesselt, er konnte sich nicht wehren, er schrie ... ———

Der Mond schien ihm in die Augen. Sein Pyjama war feucht, er hatte ausgiebig geschwitzt. Lange blieb er wach liegen. Der Traum wollte sich nicht verscheuchen lassen und Studer hatte Angst, wieder einzuschlafen. Es war nicht der Daumen, der riesige Daumenabdruck, der ihn beschäftigte. Merkwürdigerweise wurde er das andere Bild nicht los, das er im Traume gesehen hatte: Aeschbacher, der seinen Arm um Sonjas Schultern gelegt hatte und ihn auslachte ...

Es war still draußen. Gerzensteins Lautsprecher schwiegen.

The Convict Band

Der alte Ellenberger sah mit seinem weißen Verband rund um den Kopf einem Varietéfakir ähnlich, der seinen Vorstellungssmoking versetzt hat und nun in einem geliehenen Anzug spazieren gehen muß. Er spazierte zwar nicht, er saß einsam und still an einem der vielen runden Eisentischchen, die mit ihren roten Decken aussahen wie Fliegenpilze in der Phantasie eines expressionistischen Malers ...

Das Wetter war heiter, warm und es schien sogar beständig. Die Kastanienbäume im Garten des »Bären« trugen steife rote Pyramiden an ihren Ästen und ihre Blüten fielen auf die Tische wie roter Schnee.

Der Garten war groß; hinten, wo er durch einen Zaun abgeschlossen war, war eine Estrade aufgerichtet worden. Zwei Paare tanzten darauf. Fast an den Zaun geklebt spielte die Musik. Handharfe, Klarinette, Baßgeige. Als der Wachtmeister den Garten durchschritt, um den alten Ellenberger zu begrüßen, nickte er der Musik zu. Die drei nickten zurück, erfreut, schien es. Der Handharfenspieler lächelte, nahm einen Augenblick die Hand von den Bässen und winkte. Es war Schreier.

Der Schreier, den Studer vor drei Jahren bei seiner Wirtin verhaftet hatte ... Der Baßgeigenspieler schwenkte den Bogen – auch ein Bekannter, Spezialität Mansardendiebstähle, seit zwei Jahren hatte man auf der Polizei nichts mehr von ihm gehört ...

Studer setzte sich an des alten Ellenbergers Tisch.

Begrüßung ... – Wie geht's ... – Schönes Wetter ...

Dann fragte der Ellenberger:

»Sind die Äpfel schon reif, Wachtmeister?« und grinste mit seinem zahnlosen Mund.

»Nein«, sagte Studer.

Das Bier war frisch. Studer nahm einen langen Zug. Die Musik spielte einen Tango.

»Zürcher Strandbadleben ...« sagte der Alte mit der Miene eines Musikkenners. Er schnalzte dabei mit der Zunge. Die Beine hatte er von sich gestreckt. Schwarzseidene Socken und braune Halbschuhe ...

»A la vôtre, commissaire ...« sagte der alte Ellenberger. Dann erkundigte er sich, ob der Wachtmeister auch französisch spreche.

Studer nickte. Er sah dem Alten ins Gesicht – dies Gesicht hatte sich merkwürdig verändert. Die Züge waren noch die gleichen, aber der Ausdruck war ein anderer. So, als ob ein Schauspieler, der täuschend die Rolle eines alten Bauern gespielt hat, nun seine Verstellung plötzlich aufgeben würde. Aber hinter der Maske kam eben nicht ein Schauspielergesicht zum Vorschein, sondern vor Studer saß ein nachdenklicher alter Herr, der das Französische fließend sprach, ohne Akzent, und seine Rede mit zarten Handbewegungen begleitete. Die Haut seiner Hand war mit Tupfen übersät, die in der Farbe an dürres Buchenlaub erinnerten.

Über seine Vorliebe für entlassene Sträflinge müsse sich

der Kommissär nicht wundern, führte er aus, immer noch in französischer Sprache. Er habe sein Vermögen in den Kolonien verdient und da habe er als Arbeitskräfte immer Sträflinge zugewiesen bekommen. Er sei mit dem Residenten gut befreundet gewesen... Aber man sei eben dumm. Er habe auf das Alter hin Heimweh bekommen nach der Schweiz und habe sich in diesem Gerzenstein angekauft... Eigentlich, sagte er, sei diese Baumschule, die er eröffnet habe, ein Luxus. Zu verdienen brauche er ja nichts mehr, sein Geld sei sicher angelegt, so sicher, als es in einer unsicheren Zeit, wie der jetzigen, möglich sei.

Studer hörte dem Reden des alten Mannes nur unaufmerksam zu. Er war damit beschäftigt, den alten Ellenberger, der in seiner Erinnerung lebte, mit dem Manne zu vergleichen, der vor ihm saß. Schon am Freitagabend, im Café, am runden Tischchen vor dem Fenster, das auf einen giftiggrauen Abend ging, hatte er dem Baumschulenbesitzer gegenüber ein merkwürdig unsicheres Gefühl gehabt. Es hatte ihm damals geschienen, als sei alles an dem alten Manne falsch. Alles? Nicht ganz. Das Gefühl, das Ellenberger für den Schlumpf zu empfinden schien, war echt, sicher...

Aber was bezweckte der Ellenberger heute? Warum gab er sich so anders? Studer schüttelte unmerklich den Kopf. Ihm schien es, als sei auch das heutige Gesicht des alten Ellenberger noch nicht das echte. Oder hatte der Mann gar kein wirkliches Gesicht? War er etwas wie ein verfehlter Hochstapler? Man wurde aus ihm nicht klug.

Zwei Burschen und ein Mädchen nahmen in der Nähe Platz. Sonja Witschi grüßte mit einem leichten Nicken. Die beiden Burschen tuschelten miteinander, grinsten, schielten auf Studer, tauschten Bemerkungen aus. Als die Kellnerin das Bier brachte, legte Armin Witschi herausfordernd den Arm um ihre Hüften. Die Kellnerin blieb eine Weile stehen, sie wurde langsam rot, ihr müdes Gesicht sah rührend freudig aus... Aber sie wurde gerufen. Sanft machte sie sich los... Armin Witschi fuhr mit der flachen Hand über seine Haare, die sich in Dauerwellen über der niederen Stirn aufschichteten. Der kleine Finger war abgespreizt...

»Un maquereau...« sagte Studer leise vor sich hin; es klang nicht verurteilend, eher gütig-feststellend.

»Mein Gott, ja...« antwortete der alte Ellenberger und grinste mit seinem zahnlosen Mund. »Sie sind gar nicht so rar, wie man meinen könnte...«

Armin sah böse zu den beiden. Die Worte hatte er sicher nicht verstanden, aber er hatte wohl gefühlt, daß von ihm die Rede war.

Der andere Bursche am Tische Armins war der Coiffeurgehilfe Gerber. Er trug weite graue Flanellhosen, dazu ein blaues Polohemd ohne Krawatte. Seine Arme waren sehr mager...

Er stand auf, verbeugte sich vor Sonja. Die beiden stiegen auf den Tanzboden. Schreier, der Handharfenspieler, griff daneben, als er die beiden Tanzenden sah, Studer schaute auf... Da sah er, daß die Blicke der drei Musikanten auf ihn gerichtet waren... Er nickte hinüber und wußte selbst nicht, warum er so aufmunternd nickte...

Die drei trugen einfarbige Kostüme: senffarbige Leinenhosen, senffarbige Pullover ohne Ärmel, und auch die Hemden waren gelb wie Senf.

Der alte Ellenberger schien Studers Gedankengang zu erraten, denn er sagte:

»Ich habe ihnen das Kostüm geschenkt... Entworfen hab' ich's auch ... Es hat mich gereizt, die guten Bürger hier im Dorf ein wenig zu entsetzen ... Mein Gott, wenn man sonst keinen Spaß hat ...«

Studer nickte. Es war ihm immer weniger ums Reden zu tun. Er hatte seinen Stuhl zurückgeschoben und saß nun da, in seiner Lieblingsstellung, die Beine gespreizt, die Unterarme auf den Schenkeln, die Hände gefaltet. Vor ihm lag der Garten, durch das dichte Laub brachen da und dort Sonnenstrahlen und malten weiße Tupfen auf den grauen Kies. Wenn die Musik schwieg, zitterte über dem Stimmengesumm das Zwitschern unsichtbarer Vögel in den Baumkronen ...

Es war ihm nicht recht wohl, dem Wachtmeister Studer... Es war im Anfang zu gut gegangen – und sonderbarerweise bedrückte ihn am meisten der Traum der vergangenen Nacht. Am Morgen hatte er die Pistole untersucht. Es war ein billiges Modell, er erinnerte sich dunkel, es in Bern in einer Auslage gesehen zu haben ... Zwölf oder fünfzehn Franken? Vom Landjägerposten aus hatte Studer gestern telephoniert, die Nummer angegeben und gebeten, man möge sich bei den Waffenhändlern erkundigen ... Es war fast aussichtslos, sicher, den Käufer festzustellen ... Aber vielleicht gelang es zu beweisen, daß es dem Schlumpf unmöglich gewesen war, den Browning zu kaufen ...

Jemand war vor ihm stehen geblieben. Er sah zuerst nur zwei schwarze Hosenbeine, die an den Knien stark ausgebeult waren. Dann wanderte sein Blick langsam aufwärts:

ein riesiger Bauch, über den sich ein breiter Stoffgürtel spannte, ein Umlegkragen und der schwarze Knoten einer Krawatte; endlich, eingebettet in Fettwülste, das Gesicht des Gemeindepräsidenten Aeschbacher...

Und Studer dachte an seinen Traum...

Aber Aeschbacher war die Freundlichkeit selbst. Er grüßte höflich, fragte, ob es erlaubt sei, Platz zu nehmen, er schüttelte Studer herzlich die Hand und nahm dann keuchend Platz... Die Kellnerin brachte unaufgefordert ein großes Helles, das Bier verschwand in Aeschbachers Innerem, nur ein wenig Schaum blieb am Boden des Glases kleben...

»Noch eins...« sagte der Gemeindepräsident und keuchte.

Er tätschelte den Arm des alten Ellenberger, der Laute von sich gab, ähnlich denen eines Katers, der nicht weiß, ob er behaglich schnurren soll oder spuckend auf den Störenfried losfahren.

Aeschbacher rettete die Situation, indem er sich erkundigte, ob man nicht einen »Zuger« machen wolle...

Die Kellnerin, die das zweite Bier gebracht hatte, flitzte davon, kam mit dem Jaßdeckeli zurück, breitete es aus, legte die gespitzte Kreide auf die sauber geputzte Tafel und verzog sich wieder: drei leere Biergläser nahm sie mit...

»Drei Rappen der Punkt?« schlug Aeschbacher vor.

Der alte Ellenberger schüttelte den Kopf. Die Maske des weitgereisten Herrn, der ohne Akzent französisch spricht, hatte der andern Platz gemacht. Es war der alte Bauer, der jetzt wieder am Tische saß, und es war auch der alte Bauer, der mit unangenehm krächzender Stimme sagte:

»Drei Rappen sind zu wenig. Unter zehn Rappen spiel' ich nicht mit ...«

Studer wurde es noch unbehaglicher. Der »Zuger« war ein verdammt gefährlicher Jaß. Wenn man Pech hatte, konnte man ohne viel Mühe fünfzehn Franken verlieren ... Und fünfzehn Franken waren eine Summe! ... Es ging nicht gut an, Spielverluste auf die Spesenrechnung zu setzen. Aber dann interessierte ihn wieder das Verhalten seiner beiden Partner beim Spiel so stark, daß er schließlich nickte.

Aeschbacher zog die Tafel zu sich heran, zeichnete mit der Kreide auf den oberen Holzrand drei Buchstaben: S.E.A. Dann begann er die Karten zu mischen und auszuteilen. Der alte Ellenberger hatte eine Stahlbrille aus der Rocktasche gezogen und sie auf seine Nase gesetzt ...

Beim ersten Spiel konnte Studer hundertfünfzig weisen. Er atmete auf.

»Wachtmeister«, sagte der Gemeindepräsident und kratzte mit dem Fingernagel in seinem Katerschnurrbart, »Ihr geht, hab' ich gehört, bald in Pension? ...«

Studer sagte: »Ja.«

»So«, mit einem einzigen Griff breitete Aeschbacher die Karten fächerförmig aus, hielt sie vor die Nase und:

»Ich hätte für Sie ... Ich hätte für Sie eine interessante Beschäftigung. Ein Freund von mir«, fuhr er vertraulich fort, »hat ein Auskunftsbureau aufgetan und sucht einen tüchtigen Mann, der Sprachen beherrscht, der etwas Verstand im Kopf hat, der Untersuchungen selbständig führen könnte. Eintritt so bald wie möglich. Daß man Sie von der Polizeidirektion ohne weiteres gehen läßt, dafür will ich schon sorgen. Ich habe meine Beziehungen. Einverstanden? Ich telephoniere dann morgen ...«

– Studer solle sich von dem Schlangenfanger nicht einlieren lassen, meinte der alte Ellenberger. Der Schlangenfanger verspreche immer den Mond, aber wenn man näher hinsehe, sei es nicht einmal ein Weggli.

Aeschbacher blickte böse auf.

– Ellenberger solle so gut sein und die Klappe halten, es gebe sonst Durchzug, meinte er gehässig. – Dann solle der Herr Gemeindepräsident seine Vorschläge machen, wenn er mit dem Studer unter vier Augen sei. Wenn er sie so öffentlich mache, so sei es nur recht und billig, wenn auch er seine Meinung sage.

Studer mischte die Karten.

Am Tisch nebenan war Armin Witschi aufgestanden, hatte die Kellnerin um die Taille gefaßt und zog die sich Sträubende zum Tanzboden. Auch der Coiffeurgehilfe mit den roten Lippen war aufgestanden, hatte Sonjas Arm genommen. Sonja schien nicht gern mitzugehen ...

Studer starrte auf die beiden Paare, wie sie auf dem erhöhten Podium enganeinandergeschmiegt tanzten. Sonja hatte ihre Hand gegen die Schulter des Coiffeurgehilfen gestemmt, um ein wenig Abstand zu halten. Die Musik spielte und Schreier sang den Refrain mit:

»Grüezi, Grüezi, so sagt man in der Schweiz ...«

»Allez! allez!« sagte Aeschbacher ungeduldig, »Spiel geben!« Aber auch er drehte sich um und beobachtete die Tanzenden.

»Ja, ja, die Sonja«, er nickte. »Ein gutes Meitschi!«

– Der Aeschbacher müsse das ja besser wissen als andere,

meinte Ellenberger leise, dann ließ er wieder ein dröhnendes Lachen hören, das so gar nicht zu seinem mageren Körper paßte . . .

In der Tür, die vom Haus in den Garten führte, erschien die Wirtin, sah sich suchend um, entdeckte den Tisch der drei und kam auf ihn zu.

»Herr Gemeindepräsident«, sagte sie mit der Stimme des jodelnden Gritli Wenger, »Ihr werdet am Telephon verlangt.«

»So«, sagte Aeschbacher. Vielleicht erhalte er Nachricht von seinem verschwundenen Auto.

Studer wurde aufmerksam.

– Wann denn das Auto fortgekommen sei? erkundigte er sich. – Gestern abend, war die Antwort. Er habe es hier vor dem »Bären« stehen lassen, aber wie er dann um Mitternacht habe heimwollen, sei es fortgewesen. Er habe vergessen, es abzuschließen.

Studer fluchte innerlich. Nicht einmal auf den Murmann war Verlaß. Warum hatte der Landjäger ihm das nicht erzählt?

– Er komme gleich wieder zurück, sagte Aeschbacher und ging mit der Wirtin. Seinen dicken Bauch trug er vor sich her wie ein Hausierer das Brett, auf dem er seine Waren ausgelegt hat.

Der alte Ellenberger war plötzlich wieder der sehr vornehme Freund des Residenten, er redete sein gepflegtes Französisch und gab Studer zu verstehen, er müsse sich vor dem Gemeindepräsidenten in acht nehmen.

Studer erwiderte, er habe gemeint, der Aeschbacher sei dümmer als ein zweitägiges Kalb?

Das sei nur eine Redensart gewesen, meinte Ellenberger und ließ die Karten in einer Kaskade auf den Tisch sprühen. Er sei nicht dumm, der Aeschbacher, oh nein ... Es würde ihn, Ellenberger, gar nicht wundern, wenn auch der Diebstahl des Autos nichts weiter sei als ein Trick. Da kam aber der Gemeindepräsident schon zurück. Ein unangenehm höhnisches Lächeln zog seinen Katerschnurrbart schief.

»In Thun haben sie den Mann erwischt«, sagte er. »Ich muß es holen gehen. Aber Ihr sollt ans Telephon kommen, Wachtmeister, der Untersuchungsrichter will mit Euch reden ...«

»Heut? Am Sonntag?«

»Ja ... Dann könnt Ihr heut abend nach Bern zurückfahren. Der Fall ist erledigt ...«

»Hä?« sagte der alte Ellenberger.

Aber Aeschbacher drückte seinen breitrandigen Filzhut auf den Kopf, grüßte: »Lebet wohl!« und verließ den Garten.

Der Untersuchungsrichter war wirklich am Telephon.

Seine ersten Worte waren:

»Der Schlumpf hat also gestanden, Wachtmeister ...«

»Gestanden?« brüllte Studer ins Telephon. Er begann richtig wild zu werden. Es kam auch wirklich zu viel zusammen: Der Traum der vorigen Nacht, der Revolver, die leeren Hülsen in der Vase auf dem Klavier, das Angebot des Gemeindepräsidenten, die Spannung zwischen Ellenberger und Aeschbacher, Sonja Witschi, besonders die Sonja, die mit dem Coiffeurlehrling tanzte – und dann, vor allem, die Antwort des Landjägers Murmann auf die Frage, ob er den Schlumpf für schuldig halte: »Chabis«, hatte der Murmann gesagt... und nun flötete der Untersuchungsrichter ins Telephon:

»Der Schlumpf hat also gestanden, Wachtmeister...«

»Wann?« fragte Studer böse zurück.

»Heute nach dem Mittagessen, um halb eins, wenn Sie die genaue Zeit interessiert...« Auch noch Ironie! Das war zuviel für den Wachtmeister Studer!

»Gut«, er sprach ganz leise. »Ich werde morgen früh nach Thun kommen, Herr Untersuchungsrichter.«

»Halten Sie das für opportun?« fragte die Stimme.

Das Wort »opportun« schlug dem Faß den Boden aus. Konnte der Mann nicht deutsch sprechen? Konnte er nicht sagen, wenigstens, ob man es für »gegeben erachte«? Nein, ausgerechnet »opportun«!

»Ja«, krächzte Studer, »sogar für notwendig!«

Räuspern am andern Ende des Drahtes.

»Ich meinte nur«, sagte der Untersuchungsrichter versöhnlich. »Nämlich, ich habe auch mit dem Herrn Staatsanwalt gesprochen und der meinte auch, eine weitere Untersuchung des Falles erübrige sich. Wir wollten Ihre Abberufung veranlassen...«

Weiter kam der Untersuchungsrichter nicht.

»Bitte«, Studer sprach sein schönstes Hochdeutsch. »Das können Sie ruhig tun. Ich würde Ihnen aber dennoch raten, sich in der Fachliteratur über Geständnisse zu orientieren. Es gibt nämlich diverse Geständnisse... Übrigens können Sie mich abberufen lassen, wenn es Ihnen Freude macht. Ich habe nämlich daran gedacht, Ferien zu nehmen. Und Gerzenstein gefällt mir ausnehmend. Die Luft ist so gesund... Vielleicht laß ich meine Frau nachkommen. Wann haben Sie den Autodieb erwischt?«

»Hämhäm«, sagte der Untersuchungsrichter. »Den Autodieb? Heut morgen hat ihn ein Polizist angehalten. Ein Vorbestrafter...«

»Hat er mit Schlumpf gesprochen?«

»Ja... doch... ich glaube. Wir haben ihn in die gleiche Zelle gelegt...«

»Was Sie nicht sagen! Also auf Wiedersehen, Herr Untersuchungsrichter! Auf morgen! Ich bringe vielleicht noch einen wichtigen Zeugen mit...« Und Studer hängte den Hörer in die Gabel.

Es tanzte niemand mehr. Die Tische waren alle besetzt. Die Kellnerin lief mit Tellern herum, auf denen schlanke Emmentaler-, feiste, fettropfende Kümmelwürste oder mattschimmernde Cervelats lagen. Vielbegehrt waren die Gläser mit dem hellgelben Senf. Wein erschien auf den Tischen, Flaschenwein. Armin Witschi hatte eine Flasche Neuenburger bestellt. Sonja nippte nur an ihrem Glas. Sie sah verschüchtert und ängstlich aus.

Die drei Mann des »Convict Band« in ihren scharfgelben Uniformen – und aus den kurzen Ärmeln kamen die Arme hervor, sehnig und braun – auch die Gesichter waren braun gegerbt – saßen um einen Tisch, den man ganz nahe an des alten Ellenbergers Tisch gerückt hatte. Aber Ellenberger thronte allein und steif auf seinem Platz – vor den Burschen standen zwei Flaschen Wein und eine große Platte Schinken.

Studer schritt durch die Reihen der Vespernden, flüchtig

bemerkte er, daß Armin Witschi ein höhnisches Lächeln aufgesetzt hatte – Sonja hatte die Wange gegen ihren Handrücken gelegt und starte ins Leere, ihr Glas war noch voll, unberührt lag die saftschwitzende Kümmiwurst auf ihrem Teller.

Und der Wachtmeister nahm wieder neben dem alten Ellenberger Platz. »The Convict Band« trank einmütig dem Wachtmeister zu. Ein leeres Glas stand plötzlich vor ihm – da erhob sich der Schreier, hielt die Flasche in der Hand und füllte das Glas ...

»In fünf Minuten vor der Post, Wachtmeister«, flüsterte der Bursche. »Ich muß Euch etwas zeigen ...«

Studer schielte auf Ellenberger, der nichts gehört zu haben schien, nickte Schreier unmerklich zu – was hatte das wieder zu bedeuten? Was wußte der Bursche? – stieß mit den dreien an, dem Buchegger, einem hagern Menschen mit einem unregelmäßigen Gesicht und schaufelförmigen Zähnen, dem Bertel, dessen Familienname er vergessen hatte, aber an den er sich dunkel erinnerte – hatte er den Burschen auch einmal geschnappt? Jetzt spielte er Baßgeige und hatte sich rangiert, scheinbar ...

Laut sagte der Wachtmeister:

»Ich trinke auf das Wohl der Musik!« und leerte sein Glas. Ein dummes Sprichwort fiel ihm ein: »Wein auf Bier, das rat ich dir, Bier auf Wein, das lasse sein ...« Er wurde die Worte nicht los, sagte sie laut, pflichtschuldigst lachten die drei, aber als das Lachen verklungen war, verkündigte Studer leise:

»Der Schlumpf hat gestanden!«

Es war merkwürdig, die Reaktion der vier am Tisch zu

beobachten. Der alte Ellenberger räusperte sich und sagte ebenso leise:

»Vous n'y comprendrez jamais rien, commissaire ...« (er werde nie etwas von der Sache verstehen ...)

Der Bertel fuhr auf – er sah aus wie ein schlaues Äffchen – und schmetterte einen Fluch hervor, in dem viel vom Heiland und von Millionen Sternen die Rede war.

Buchegger, der magere Bär, sagte nur ein Wort:

»Idiot!«

Schreier aber fuhr sich durch das lange schwarze Haar, wandte das Gesicht ein wenig zur Seite, so daß die drei, die am andern Tisch, in etwa zwei Meter Entfernung, saßen, es deutlich verstehen mußten:

»So, so, hat der Schlumpfli gestanden!« und deutete dem Wachtmeister mit einem leisen Ruck des Kopfes an, er möge die Sonja, ihren Bruder und den Coiffeurlehrling beobachten.

Und wirklich war die Wirkung auf *diesen* Tisch noch merkwürdiger.

Sonja fuhr zusammen, ihre Hand ballte sich zur Faust, sie setzte sich gerade und starrte ihren Bruder haßerfüllt an. Sie fragte ihn leise etwas. Armin zuckte mit den Schultern. Der Coiffeurgehilfe Gerber war blaß geworden, seine ohnehin käsige Gesichtsfarbe wurde grünlich, er tätschelte beruhigend Sonjas Arm, so, als wolle er andeuten, das Meitschi möge sich nicht aufregen, wenn der Schlumpf verloren sei, so sei *er* immerhin noch da ... Dann wurde Sonjas Ausdruck ängstlich, sie wollte aufstehen, ihr Bruder und Gerber zogen sie auf den Stuhl zurück, drückten ihr das Glas in die Hand. Sonja trank. Sie zog ihr Schnupftuch aus der

Handtasche, wischte sich die Augen, blickte in Studers Richtung – ihre Blicke begegneten sich, Studer hob leicht die Hand in einer beschwichtigenden Gebärde – da lächelte Sonja plötzlich voll Vertrauen, und Studer wußte, daß er auf die Hilfe des Mädchens irgend einmal würde zählen können.

»Ich werd' wahrscheinlich den Schlumpf fallen lassen ...«, sagte Studer laut, stand auf, grüßte in der Runde und verließ mit großen Schritten den Garten.

Nach fünf Minuten holte ihn Schreier ein. Er hatte seine Uniform abgelegt und trug einen einfachen Anzug.

Witschis Schießstand

Ich kenn' den Schlumpf gut«, sagte Schreier und paßte seinen Schritt dem des Wachtmeisters an. »Und ich hab' ihm von Anfang an gesagt, wie er zum Ellenberger gekommen ist: ›Paß auf‹, hab' ich ihm gesagt, ›nur keine Weibergeschichten, das kommt immer schlecht heraus. Eine Kellnerin, das macht nichts. Aber nur kein Meitschi vom Dorf.‹ Hab' ich nicht recht, Wachtmeister?«

Studer brummte, seufzte. Die Vorbestraften hatten es nicht leicht, wenn sie wieder draußen Arbeit gefunden hatten. Es brauchte sie nur einer wieder zu erkennen, ihnen »Zuchthäusler« nachzurufen – was sollten sie dann machen? Klagen? Man brauchte ja nicht einmal das Wort zu brauchen, das Wort, das als ärgste Beleidigung galt, einfach durch das Verhalten zu ihnen konnte man die Verachtung zeigen, die man für sie empfand. Im Grunde waren es ja meistens gar keine schlechten Teufel ... Wie Studer damals den Schreier arretiert hatte, mit was war der Bursche beschäftigt? Er half der Frau, bei der er wohnte, Bohnen rüsten. Na, ja ... »Was willst du mir zeigen?« fragte Studer.

»Das werdet Ihr sehen, Wachtmeister. Der Witschi hat nämlich Selbstmord begangen ...«

Wieder diese Behauptung! Murmann war der gleichen Meinung ... Selbstmord! ... Aber Herrgott noch einmal! Der Witschi hatte doch nicht hexen können! ...

Er hatte wohl lange Arme gehabt, der Witschi. Aber angenommen, er hätte den Revolver hinter das rechte Ohr halten und den Schuß in dieser Stellung abgeben können, dann blieb dennoch *eine* unerklärliche Tatsache: der Mangel an Pulverspuren. Eine leichtere Ladung? Unwahrscheinlich. Wie dann? Angenommen, der Witschi hätte die Courage gehabt – dann war jemand nach dem Selbstmord gekommen, um den Browning zu holen. Den Browning, der dann unter dem Packpapier in der Küche der Frau Hofmann versteckt worden war. Von wem? Wer hatte den Revolver geholt? Eine abgekartete Sache?

»Wie bist du auf den Gedanken gekommen, daß der Witschi sich selbst erschossen hat?«

»Das will ich Euch gerade zeigen ...«

Auf der Straße heulten Autos. Motorräder knatterten gehässig. Man spürte den Sonntag. Verlassen sahen die Häuser aus, aber sie waren nicht stumm, nicht einmal heute. Ein Krächzen hier, ein Summen dort, manchmal ein Melodiefetzen ...

Die Lautsprecher Gerzensteins spielten mit den atmosphärischen Störungen, es war niemand da, der sie beaufsichtigte ... So trieben sie Schabernack, für sich allein, um die Langeweile des einsamen Nachmittags zu würzen ... In der Woche gab es so viel zu tun für sie. Sie sangen, sie spielten, sie sprachen. Professoren, Bundesräte, Pfarrer, Psychologen – gehorsam blökten die Lautsprecher die Worte nach, die irgendein bedeutender Herr von seinem Manuskripte ablas – und die Worte drangen in die Ohren der Gerzensteiner, durchweichten die Köpfe ... Sie wirkten wie ein Landregen auf Moorland ... Die Lautsprecher waren die

Beherrscher Gerzensteins. Redete nicht selbst der Gemeindepräsident Aeschbacher mit der Stimme eines Ansagers?...

Da war endlich Witschis Haus. Auch hier krächzte es durch die geschlossenen Läden, so laut, daß Studer zuerst meinte, es sei eine Gesellschaft in einem der Zimmer versammelt... Aber es war eben doch nur einer der einsamen Lautsprecher, der sich die Zeit vertrieb...

Alpenruh

in blauer Farbe, die abzubröckeln begann.

Grüß Gott, tritt ein, bring Glück herein...

Warum wirkte der Spruch auf Studer wie ein Hohn? Glück? Waren die Witschis wirklich einmal glücklich gewesen? Er sah den Witschi Wendelin in Hemdsärmeln die Zeitung lesen, aufstehen, den losen Trieb eines Spalierbaumes anbinden... Die Ladenklingel schrillte... Gespräche über Politik...

Und jetzt lag Witschi in einem kaltweißen Raum mit einem Schuß hinter dem rechten Ohr...

Studer schüttelte sich. Schreier sagte:

»Kommt nur mit, Wachtmeister!« und ging voran durch den Garten, auf den alten, verfallenen Schuppen zu, dessen Dachstützen eingeknickt waren... Die Tür fehlte, an ihrer Stelle gähnte ein schwarzes Loch.

Aber im Schuppen war es nicht einmal so dunkel. Einige Dachziegel fehlten. Das spärliche Licht, das durch die

Löcher drang, vermischte sich mit der Finsternis zu einer grauen Dämmerung...

Zerbrochene Spaten, ein verbogener Rechen, leere Kisten, Holzwolle, Persilkartons, Packpapier... Winzige, glänzende Staubteilchen tanzten in den Lichtbalken, die vom Dach zum Boden reichten.

»Und?« fragte Studer. Er mußte husten. Die Luft im Schuppen legte sich ihm auf die Lungen.

Schreier war an einen Stapel Kisten getreten, er räumte ihn vorsichtig beiseite, zog schließlich eine Tür hervor, die Tür des Schuppens offenbar, an der noch die rostigen Angeln hingen.

»Habt Ihr eine Taschenlampe?« fragte der Bursche.

»Ja.«

»Zündet einmal«, verlangte Schreier.

Studer ließ den Lichtkegel über die Tür streichen. Er pfiff ganz leise zwischen den Zähnen.

Zwei, vier, sechs, zehn – fünfzehn Einschüsse. Über die Mitte der Türe verteilt. Sie saßen alle in einem Rechteck, das etwa sechzig Zentimeter hoch und vierzig Zentimeter breit war. Und das Rechteck, in dem die Schüsse saßen, war ein heller Fleck in der sonst altersschwarzen Tür. Studer beugte sich tiefer. Richtig, das Rechteck war gehobelt worden. Man sah noch die Spuren des Hobels...

Aber das Merkwürdigste an diesen Einschüssen war folgendes:

Die ersten Einschüsse, links oben im Rechteck, zeigten deutlich an ihren kreisförmigen Rändern Verbrennungsspuren.

»Deflagrationsspuren!« sagte Studer leise.

Es waren fünf Löcher, die solche Spuren trugen. Beim sechsten Loch waren die Spuren geringer, sie nahmen ab, je weiter unten im Rechteck die Einschüsse saßen. Die letzten drei Einschüsse hatten saubere Ränder, das Holz um sie herum war weiß ...

Die Tür war dick. Alle Kugeln steckten im Holz. Studer nahm den dünnen Bleistift aus seinem Notizbuch und begann die Tiefe der Löcher zu messen. Die Lampe hatte er Schreier in die Hand gedrückt. Er maß verschiedene Male, er gab sich Mühe, er preßte den Daumennagel fest auf den Bleistift, um so genau als möglich – auf den Bruchteil eines Millimeters – den Unterschied festzustellen, der vielleicht in der Tiefe der Löcher bestand. Alle fünfzehn Löcher waren gleich tief. Also waren auch die letzten Schüsse, deren Ränder sauber geblieben waren, aus der gleichen Entfernung abgegeben worden wie die ersten. Warum aber hatten nur die ersten verbrannte Ränder?

»Warum haben nur die ersten Löcher Pulverspuren?« fragte Studer laut.

Schreier kicherte. Es war ein unangenehmes Geräusch. Es erinnerte Studer an Zuchthaus, dieses Kichern. Es klang so verdrückt.

»Red' schon, wenn du etwas weißt«, schnauzte er.

»Ich bin ja nicht sicher, Wachtmeister«, sagte Schreier. »Aber Ihr wißt es doch auch: wenn man vor die Mündung ein Blatt Papier hält und dann abdrückt, so bleiben alle Pulverteilchen an dem Papier haften und ...«

Studer wurde böse:

»Und du bildest dir ein, der Witschi hat vor die Mündung ein Zeitungsblatt gehalten, mit der linken Hand, und dann den Schuß abgegeben? Mach mir das einmal vor...«

Schreier schüttelte den Kopf. Er zog etwas aus der Tasche, ließ das Licht darauf fallen. Es war ein rotes Kartonviereck. »Riz La Croix« stand darauf zu lesen. Der Umschlag eines Heftchens Zigarettenpapiers.

»Das hab' ich hier im Schuppen gefunden«, sagte Schreier bescheiden. »Damals, wie ich hier gestöbert hab'. Am Tag nach der Verhaftung vom Schlumpf. Ja.«

»Und?« fragte Studer.

»Es rollt keiner in der Familie seine Zigaretten selbst. Der alte Witschi hat Stumpen geraucht, in der letzten Zeit Pfeife. Der Armin raucht englische Zigaretten, dieselben, die sie im Laden führen. Also...«

»Also?« fragte Studer. Der Schreier begann ihn zu interessieren.

»Ich hab' mir die Sache so vorgestellt: Der alte Witschi hat ein paar Zigarettenblättli genommen und sie, zusammengeknüllt, vorne in den Lauf gestoßen. Er hat ausprobieren müssen, wie viele es braucht, um saubere Einschußöffnungen zu bekommen. Darum hat er so oft geschossen. Bis es gegangen ist...«

»Einleuchtend«, sagte Studer. »Kompliziert, aber nicht unmöglich.«

Er drehte gedankenvoll den roten Pappdeckel zwischen den Fingern. Ein dünnes weißes Blättchen haftete noch daran. Studer riß es ab, hielt es zwischen den Fingern, zündete es mit einem Streichholz an und ließ es auf seiner

Handfläche verbrennen. Es gab eine kurze, sehr helle Flamme. Auf die Asche ließ Studer den Lichtkegel der Lampe fallen. Ein winziger schwarzer Rest. Und doch, angenommen, Witschi hatte ein paar Blättli gebraucht, so war die Asche sicher nicht ganz verschwunden. Spuren davon mußten in der Wunde zu finden sein. Aber der Assistent im Gerichtsmedizinischen hatte von nichts Derartigem gesprochen. Und Studer war sicher, daß die Untersuchung gründlich geführt worden war... Man mußte dem Italiener noch einmal anläuten, schade, daß heute Sonntag war...

»Das hast du gut gemacht, Schreier, ich wär' nie auf den Gedanken gekommen. Aber ob wir damit ein Geschworenengericht überzeugen können? Und dann der Browning? Der ist doch nicht neben der Leiche gelegen... Wer hat den aufgelesen? Fortgebracht?«

»Der Schlumpf natürlich«, sagte Schreier. »Aber wollen wir nicht weitergehen, Wachtmeister? Die Alte« – Schreier meinte Frau Witschi – »kann jeden Moment heimkommen. Von vier bis fünf schließt sie ihren Kiosk. Sogar am Sonntag, und es ist schon fünf Minuten über vier...«

»Versorg' noch die Tür«, sagte er. Und Schreier nahm die Türe, lehnte sie an die Wand, schichtete Kisten, Schachteln davor auf...

»Wenn sie nur nicht verbrannt wird«, seufzte Studer. »Dann haben wir keinen Beweis mehr... Beweis?... Schöner Beweis!«

Sie verließen den Schuppen, gingen durch den Garten, blieben einen Augenblick in der Gartentür stehen und sahen zum Hause zurück. Als sie auf die Straße treten wollten, versperrte ihnen eine magere, schwarze Gestalt den Weg.

»Hat der Herr mich gesucht? Oder was hat er sonst zu suchen? Auf *meinem* Grundstück? Der *Herr Wachtmeister*!«

Nach jeder Frage stieg die Stimme ein wenig höher...

Anastasia Witschi, geb. Mischler

Studer hatte Frau Witschi nur flüchtig gesehen, damals, bei seiner Ankunft. Und daß er sie Anastasia getauft hatte, ganz unbewußt (merkwürdigerweise hatte der Name gestimmt), das hatte doch einen ganz verständlichen Grund gehabt.

Frau Witschi sah nämlich aus wie eine Karikatur der Zensur. Und die Franzosen hatten während des Krieges die Zensur Anastasie getauft...

Nachdem Frau Witschi ihre Fragen abgeschossen hatte, verschnaufte sie ein wenig. Ihre Blicke ruhten mißbilligend auf Studers Begleiter. Was der da wolle, fragte sie, und diese letzte Frage war ganz besonders giftig; ihre Stimme überschlug sich. Schreier wurde rot.

Studer fühlte sich unbehaglich, aber er ließ sich nichts anmerken. Und daß seine Zehen in den Schuhen kleine Tänze aufführten, das sah niemand.

»Wir haben Sie gesucht, Frau Witschi«, sagte Studer und seine Stimme wurde ganz tief, wahrscheinlich als Ausgleich gegen die allzu hohe der Frau. »Wir haben uns den Garten angesehen. Ein schöner Garten, wirklich ein wunderbarer Garten. Es fehlt ein wenig an der Pflege, aber natürlich, das ist begreiflich...«

»Sind Sie noch nie hier oben gewesen?« fragte Frau Witschi. Studer sah sie an. War die Frage eine Falle? Nein...

wahrscheinlich nicht ... Also hatte Sonja nichts von seinem Besuch erzählt. Übrigens wartete Frau Witschi gar nicht auf eine Antwort.

– Wenn der Wachtmeister etwas zu fragen habe, so solle er nur eintreten ... »Ich habe nichts zu verbergen«, sagte sie. »Nein, gewiß nicht. *Unser* Gewissen ist rein, was nicht alle Leute behaupten können.«

Jetzt wurde Schreier blaß. Er zitterte. Merkwürdig, wie empfindlich diese anscheinend abgebrühten Burschen im Grunde waren! ...

»Ruhig, ruhig«, sagte Studer leise und legte die Hand auf die Schulter des Burschen. »Geh' wieder zurück. Ich dank' dir auch. Du hast mir viel geholfen. Leb' wohl«

Schreier gab dem Wachtmeister schweigend die Hand. Die alte Frau grüßte er nicht.

»*Sie* sind viel zu gut mit diesen Leuten, Herr Wachtmeister.« (Frau Witschi betonte das Sie, Studer sollte merken, daß sie nicht zu den kommunen Leuten gehöre, die alle Welt ihren.) »Treten Sie ein, wir wollen nicht vor der Tür stehenbleiben.«

Die Küche war sauber. Kein schmutziges Geschirr stand mehr im Schüttstein. Der Strähl war verschwunden. Auch das Wohnzimmer war aufgeräumt.

Die Vase unter Wendelin Witschis Bild fehlte.

»Nehmen Sie Platz, Herr Studer. Ich hol' etwas zum Trinken. Sie werden sicher Durst haben.«

Und Frau Witschi kam zurück mit einer Flasche Himbeersirup und zwei Gläsern. Studer mußte wohl oder übel mittrinken. Es schüttelte ihn gelinde.

»Mein armer Mann«, sagte Frau Witschi und zog die Luft

durch die Nase. Sie wischte sich die Augen mit ihrem Taschentuch. Aber die Augen waren trocken und blieben es.

»Ja, ja«, meinte Studer und hielt die Hand über sein Glas, das Frau Witschi wieder mit der klebrigen Flüssigkeit füllen wollte. »Es ist traurig, daß er so hat ums Leben kommen müssen. Aber es war vielleicht doch ein Glück ...«

»Ein Glück? Wieso ein Glück? Was meinen Sie?«

»Eh, wegen der Versicherung ...« sagte Studer und zündete umständlich eine Brissago an. Eine Sturzflut von Worten ergoß sich über ihn. Und Studer ließ sie brausen ...

Es war merkwürdig, fast wie eine Vision:

– – – Das Zimmer ist dunkel, ganz plötzlich. Die Lampe, von einem grünen Schirm verhangen, gibt ein düsteres Licht. Leere Teller stehen auf dem Tisch. Am oberen Ende sitzt der verstorbene Wendelin Witschi. Rechts neben ihm seine Frau, links Sonja, ihm gegenüber der Sohn.

Witschi schweigt, Müdigkeitsfalten liegen um seinen Mund, auf seiner Stirn. Ununterbrochen schwatzt die Frau. Sie klagt. Er sei schuld, nur er allein. Er habe die Familie in Schulden gestürzt, nun sei es an ihm, das gestrandete Schiff wieder flott zu machen. Geld habe er aufgenommen, ohne jemanden zu fragen – und die Kreugeraktien, die habe doch *er* gekauft, oder? Witschi hebt die Hand, die weiße, dürre Hand, so, als wolle er Einspruch erheben. Aber die Frau lafert weiter. Nichts da, er habe zu schweigen, ganz zu schweigen. Und dann flüstert sie plötzlich: Die Versicherungen brächten Geld ... Ein Unfall ... Nichts Arges. Aber er müsse so ausgeführt werden, daß er wie ein Überfall aussehe ... Es seien ja genug Vorbestrafte im Dorf, auf die man die Schuld schieben könne ...

Der Sohn mischt sich ein. Die Schwester habe ja ein Geschleipf mit so einem, sie müsse die Sache übernehmen. Den Burschen zu einem Rendez-vous bestellen, damit er kein Alibi beibringen könne... Dann könne man ihn anklagen, und wenn der Vater ihn wiedererkenne, dann könne der Bursche gar nichts machen...

Oben am Tisch hat der Witschi die Hände gefaltet, er schüttelt den Kopf, unaufhörlich, aber kein Mensch sieht auf ihn. Der Redestrom geht weiter. Der Sohn löst die Mutter ab, die Mutter den Sohn. Sonja sitzt still da, weint in ihr Taschentuch. Es nützt nichts, Sonja findet nirgends Schutz vor den Plänen der beiden andern... – – –

Wie oft hatte sich die Szene abgespielt, so wie Studer sie sah und hörte, jetzt, im Wohnzimmer der Familie Witschi, während die alte Anastasia auf ihn einredete und ihre Worte an seinen Ohren vorbeisausten wie ein saurer Biswind?

Studer nickte, nickte ununterbrochen zu den Worten der Frau. Es war ja alles gelogen, warum also zuhören?...

Er sah den Schuppen vor sich, ganz deutlich.

– – – Die Frau hat eine Stallaterne in der Hand. Und Witschi probiert den Revolver aus. Er schießt auf das weißgehobelte Rechteck der Tür, immer aus einer Entfernung von zehn Zentimeter. Nicht mehr, nicht weniger. Er probiert es mit einem Zigarettenblättchen, dann mit dreien, dann mit fünfen. Bei welcher Zahl gibt es keine Deflagrationsspuren mehr? – – –

Fünfzehn Patronen, dachte Studer... Wo war wohl die Schachtel? Man sollte sie finden. Und immer das Bild, das sich dazwischenschob:

Der Witschi, der beim Schein der Stallaterne Schießübungen veranstaltet... Die Frau hält sicher einen Sack, um den Schall abzudämpfen. – – –

War es sonst möglich, daß keiner der Nachbarn etwas gehört hatte?... Vielleicht hatten sie etwas gehört, das nächste Haus stand in etwa fünfzig Meter Entfernung... Sollte man dort fragen gehen?

Und wie aus einem Traum heraus, mitten in den Redestrom der Frau Witschi, sagte Studer mit leiser Stimme:

»Wie Ihr Mann auf die Tür im Schuppen geschossen hat, haben Sie da einen Sack gehabt, um den Schall abzudämpfen?«

Das Glas zerschellte auf dem Boden. Frau Witschi hatte die Augen weit aufgerissen, das Häutchen, das über dem einen lag, war weiß.

»Wie?... Was?...« stotterte Frau Witschi.

»Nichts, nichts«, Studer winkte müde ab. »Es hat ja alles keinen Wert, der Schlumpf hat ja gestanden.« Aber unter den halbgesenkten Lidern beobachtete Studer neugierig die Frau.

Ein Aufatmen. Frau Witschi stand auf, ging in die Küche, kam mit einer Küderschaufel zurück und wischte die Scherben zusammen.

»Scherben bringen Glück«, sagte Studer leise.

Ein giftiger Blick der Frau. Dann:

»So! Hat der Mörder endlich gestanden! Ein Glück! Dann habt Ihr ja hier nichts mehr zu tun, Wachtmeister!« (»Ihr« statt »Sie«! Studer lächelte.)

»Sie haben ganz recht, Frau Witschi, ich hab' nichts mehr zu tun...«

Wie spät war es? Draußen war noch heller Tag. Der

Schuppen stand am Ende des Gartens, man sah ihn gut durchs Fenster. Studer blickte lange hin. Er dachte: Diese Nacht sollte ich hier in der Nähe Posten stehen, die Mutter und der Sohn werden versuchen, die Tür zu verbrennen. Hätt' ich nichts sagen sollen? Doch, es war ganz gut. So ein Schreckschuß ist manchmal ganz gut. Obwohl der ganze Fall hoffnungslos ist. Düster, düster... Er hat recht, der Kommissär Madelin! Ein Mordfall auf dem Land! ... Wollen wir den Witschi in Frieden lassen? Er hat sich geopfert für die Familie... Er hat sich erschossen, damit die Versicherung zahlt... Hat er wirklich geschossen? ... Mit dem rechtwinklig abstehenden Arm? ... Vielleicht steckt doch mehr hinter dem Fall... Aber wer hat dann geschossen? ... Der Schlumpf? ... Doch der Schlumpf? ... Kann man einen Mord aus Liebe begehen? ... Warum nicht? Gleichwohl, es ist unwahrscheinlich... Der Armin? ... Der Maquereau? ... Nein, nein, zu feig... Die Mutter? ... Chabis! ... Wer dann? Wenn man nur wüßte, wer den Revolver gekauft hat, vielleicht gäbe das einen Anhaltspunkt...

»Wo schafft Ihre Tochter in Bern?« fragte Studer laut.

»Beim Loeb«, die Stimme der alten Frau zitterte. Man sollte sie in Ruhe lassen, die Frau Anastasia, dachte Studer. Er streckte die Hand aus, um sich zu verabschieden. Aber Frau Witschi sah die Hand nicht. Sie ging mit winzigen Schritten zur Tür, öffnete sie. Auf ihrem Gesicht stand ein gefrorenes Lächeln.

»Auf Wiedersehen, Herr Wachtmeister«, sagte sie.

Studer neigte stumm den Kopf...

Schwomm

Auf der Straße schon hörte Studer die Musik. Besonders laut tönte die Handharfe. Schreier schien wieder seinen Platz eingenommen zu haben...

Und wer saß am Tisch, eifrig auf Armin Witschi einredend, mit hohem Stehkragen und schwarzen, hohen Schnürschuhen zu grauen Flanellhosen?

Der Lehrer Schwomm.

Er sprang auf, als Studer an ihm vorbeiging. Sein Gesicht war ratlos und kindlich. Über der Oberlippe saß ein blondes Schnurrbärtchen.

»Herr Wachtmeister«, sagte der Lehrer Schwomm atemlos, »ich habe gehört, daß Sie sich mit dem Fall Witschi beschäftigten. Ich habe lange gezögert, Ihnen anzuvertrauen, was ich von der Sache weiß. Aber nun drängt es mich, der Gerechtigkeit meines Vaterlandes Genüge zu tun, und...«

»Red' nicht so viel, Schwomm«, sagte Armin grob. Studer blickte den Burschen streng an. Der nickte mit dem Kopf, als wolle er sagen: »Du kannst mich lang anstarren, mir machst du keine Angst...«

»Wollen Sie nicht an meinen Tisch kommen, Herr Lehrer Schwomm?« fragte Studer höflich und wies mit der Hand gegen den Tisch, an dem noch immer der alte Ellenberger saß und gedankenvoll sein Weinglas zwischen Daumen und Zeigefinger zwirbelte...

Schwomm nahm Platz. Das heißt, er setzte sich auf die äußerste Kante des eisernen Gartenstuhls, zog dann sein Taschentuch heraus und trocknete sich die Stirn. Seine Gesichtshaut war fast so gelb wie seine gelockten Haare.

»Ich habe nämlich am Abend, an dem der arme Witschi durch Mörderhand umgekommen ist«, sagte der Lehrer Schwomm und knetete an seinen Händen, »zufällig zwei Schüsse gehört...«

»So?« sagte Studer trocken.

»A bah!« meinte der alte Ellenberger und zog die Mundwinkel in die Wangen.

»Ja«, der Lehrer nickte. »Zwei Schüsse. Ich bin an jenem Abend zufällig im Wald spazieren gegangen... In Begleitung... Ich brauche doch nicht anzugeben, mit wem ich im Walde war?«

Ellenbergers dröhnendes Baßlachen machte den Lehrer noch verlegener.

»Könnte ich nicht unter vier Augen mit Ihnen sprechen, Herr Wachtmeister?« fragte er und wurde rot.

Studer schüttelte den Kopf. Ihn interessierte weniger, was der Lehrer ihm zu erzählen hatte, als das, was er offenbar verschweigen wollte. Und man konnte aus dem Verhalten des Mannes auf das schließen, was er zu verbergen hatte.

Der Lehrer Schwomm räusperte sich.

»Es war ungefähr zehn Uhr, als ich die Landstraße verließ und einen Seitenweg einschlug. Ich ging im Walde so für mich hin, wie es im Gedicht heißt, und ich dachte auch an nichts. Der Abend war still und weich, verschlafene Vögel zirpten in den Zweigen...«

»A bah!« krächzte wieder der alte Ellenberger, aber Studer winkte ab. Der Tisch Armins war leer. Gerber tanzte wieder mit Sonja, verfolgt von den gehässigen Blicken des »Convict Bands«, der »Maquereau« tanzte mit der Kellnerin und schien ihr eifrig etwas zu erklären (vielleicht wollte er sie zu etwas überreden?).

»... und von Zeit zu Zeit eilte ein flüchtiges Tier seiner Ruhestätte zu. Ich mochte mit meiner... mit meinem Begleiter schon ziemlich weit in die sanfte Tiefe des Waldes eingedrungen sein, als ich das Knattern eines auf der Straße sich nähernden Motorrades vernahm, eines leichten Motorrades möchte ich hinzufügen ...«

»Fügen Sie nur ruhig hinzu«, sagte der alte Ellenberger und krächzte heiser. War es ein Lachen?

Aber der Lehrer ließ sich nicht mehr stören.

»Das Geräusch, wenn ich es so nennen darf, hörte plötzlich auf. Ich hörte Zweige knacken ...«

»Können Sie etwa die Distanz schätzen, ich meine die Distanz, die Sie von der Straße trennte?« fragte Studer und ließ seine Brissago qualmen.

»Nicht genau«, antwortete Schwomm leise. Er schien entrückt zu ein. Seine Augen blickten verschwommen ins Weite – und das Weite war hier ein dichtbesetzter Wirtsgarten. »Vielleicht könnte ich die Stelle wiederfinden, an der ich gestanden bin ...«

»Gut«, sagte Studer. »Weiter, Herr Lehrer Schwomm.«

»Diesen ersten Teil, nämlich das Herankommen des Motorrades und dessen plötzlichen Stillstand, habe ich natürlich im Augenblick nicht beachtet. Es ist mir erst später eingefallen, als im Dorfe von der Auffindung des Leichtmotorrades Marke ›Zehnder‹ gesprochen wurde, des Motorrades, das dem verunfallten Wendelin Witschi gehört haben soll...«

Verunfallten? dachte Studer. Warum sagt der Mann zuerst durch Mörderhand umgekommen und jetzt verunfallt? Sollte er? Und es fiel ihm ein, wie grob Armin Witschi den Lehrer angelassen hatte.

»Weiter«, sagte Studer.

Aber Schwomm bedurfte dieser Aufforderung nicht. Er sprach und begleitete seine Rede mit pathetisch sein sollenden Bewegungen.

»Da, plötzlich, in der Stille des Waldes, erdröhnten zwei Schüsse. Meine... mein Begleiter zuckte zusammen. Ich beruhigte ihn. Es werde wohl nichts Schlimmes sein. Aber da ich Angst hatte, oder vielmehr, da meine... Begleitung Angst hatte, wir könnten überfallen werden, verließen wir, einen großen Umweg machend, den Wald, gelangten weit vor dem Dorfe wieder auf die Landstraße und folgten ihr. Nach einiger Zeit sahen wir am Rande der Straße ein verlassenes Motorrad stehen. Es war an einen Baum gelehnt...«

Schwomm machte eine Pause.

»Gesehen haben Sie niemanden?« fragte Studer nebenbei.

»Gesehen? Nein. Nur gehört. Nach den beiden Schüssen das Geräusch vieler Schritte. Einen dunklen Schatten bemerkten wir auch, aber nicht gegen die Landstraße zu, sondern in der entgegengesetzten Richtung, dort, wo der Wald an die Baumschulen des Herrn Ellenberger grenzt.«

»Einen Schatten?« fragte Studer. »Können Sie den Schatten näher beschreiben?«

Statt einer Antwort fragte Schwomm sehr sanft:

»Der Fall ist doch eigentlich durch das Geständnis des Schlumpf erledigt? Oder?«

»Gewiß, gewiß.« Studer sah auf seine gefalteten Hände. Er lauschte dem Tonfall von des anderen Stimme. Warum wohl hatte der Lehrer mit einem Zeugenbericht begonnen, um plötzlich, noch vor dessen Ende, die Frage zu stellen, ob der Fall nicht erledigt sei? Es gab zwei Möglichkeiten: Entweder der Lehrer wollte sich wichtig machen, um im Prozeß eine Rolle zu spielen, und es war sehr wahrscheinlich, daß diese Möglichkeit stimmte, – oder Schwomm wußte etwas, wagte jedoch aus irgendeinem Grunde nicht die Wahrheit zu sagen und half sich aus der Klemme, indem er die Hälfte des Wahrgenommenen mitteilte, gewissermaßen als Beruhigungsmittel für sein belastetes Gewissen. Denn der Mann wußte etwas, das war sicher. Nicht umsonst ergeht sich ein immerhin gebildeter Mann – er war Sekundarlehrer – in einer ziemlich öden Phraseologie, wie »verschlafene Vöglein zirpten in den Zweigen«. Und dann war da das Wort, das dem Lehrer wahrscheinlich ganz unbewußt entschlüpft war: »... verunfallten«.

Schweigen am Tisch. Die Musik verstummte, das Stück war zu Ende und lauter ertönte das Stimmengesumm. Die drei am Nebentisch kehrten zurück. Sonja blickte unbeteiligt auf den Lehrer – sie schien also nicht die »Begleitung« des Lehrers gewesen zu sein, wenn man überhaupt aus Blikken Schlüsse ziehen konnte. Armins Gesicht hingegen war leicht verzerrt. Er schien jemanden zu suchen. Manchmal streiften seine Blicke über den Lehrer Schwomm, schweiften ab, schienen wieder auf die Suche zu gehen, blieben an der Türe hangen, die aus der Wirtschaft in den Garten führte...

Dort stand die Kellnerin. Und Studer fühlte mehr, als daß er richtig gesehen hätte, wie sie ganz unmerklich winkte – eine leichte Bewegung des Kopfes, ein Mundwinkel, der zuckte... Armin lehnte sich zurück, gähnte, hielt die Hand vor den Mund. Ein kaum merkliches Nicken, – das Gähnen war wohl nur ein Versuch, die Beobachter von der Bewegung des Kopfes abzulenken...

Studer war nicht mehr müde. Es kam ihm vor, als stehe er wieder mitten in den Ereignissen. Er war nicht mehr ausgeschaltet. Vor allem: es schien etwas vorzugehen, Ereignisse waren zu erwarten, Studer fühlte es in allen Gliedern. Er blieb ruhig. Zuerst aus diesem badschwammblonden Menschen, diesem Lehrer, alles herausholen, was es herauszuholen gab, und dann...

Studer hatte schon sein Programm für morgen.

Aber wieviel konnte noch passieren zwischen heut und morgen!... Die ganze Nacht lag dazwischen. Er wußte, der Wachtmeister Studer, daß er die folgende Nacht nicht viel schlafen würde... Aber was tat das? Saubere Arbeit! kommandierte er sich. Und wenn die Sache noch so unordentlich und verworren aussieht! Ordnung muß sein. Sauberkeit! Sauberkeit vor allem!

»Und wie sah der Schatten aus?« Die Frage war ein Überfall. Der verträumte Lehrer schreckte auf.

»Er huschte« (›huschte!‹ sagte der Lehrer Schwomm), »er huschte in zehn Meter Entfernung an uns... eh... an mir vorbei. Größe? Mittelgroß... Ja, mittelgroß...« Der Lehrer schwieg plötzlich.

»Mittelgroß?« fragte Studer freundlich. »Ich müßte Vergleichsmöglichkeiten haben. Ungefähr wie groß war er, der Schatten? Ich will Ihnen zwar verraten, Herr Lehrer Schwomm, daß der Schatten vielleicht gar keine Wichtigkeit hat, aber möglicherweise bestätigt er unsere Vermutungen. Wäre der Schatten so groß gewesen wie, sagen wir, der Angeklagte Schlumpf, so wäre dies sehr wichtig für die Richter, die ja nichts auf ein Geständnis geben, solange nicht jede Bewegung des Angeklagten vor und nach der Tat samt allen psychologischen Motiven ganz genau festgelegt ist. Ich spreche zu einem Akademiker, nicht wahr, einem einfachen Manne gegenüber würde ich mich weniger gelehrt ausdrücken; also wie groß war der Schatten?«

»Ich habe Erwin Schlumpf eigentlich wenig gesehen. Aber mir scheint, der Schatten war von seiner Größe ...«

»Es wäre für uns von größter Bedeutung, wenn wir vielleicht die Ansicht Ihrer... Ihrer Begleitung hören könnten, aber dies wird wahrscheinlich unmöglich sein ...«

»Ausgeschlossen, ganz ausgeschlossen... Ich könnte es nie und nimmer verantworten ...«

»Schon gut«, schnitt Studer die Beteuerungen ab. Er schielte nach dem Tische Armins. Dort schien etwas los zu sein. Armin flüsterte eifrig auf seine Schwester ein, den Coiffeurgehilfen hatte er mit einer Handbewegung dazu gebracht, nicht zuzuhören. Dann stand Armin auf – die Kellnerin lehnte noch immer am Pfosten der Saaltüre, sie schien plötzlich schwerhörig geworden zu sein und blind obendrein, denn sie kümmerte sich weder um die Rufe noch um das Winken der Gäste. Sie sah aber Armins Aufstehen, drehte sich um und verschwand im Innern des »Bären«. Armin schlenderte durch den Garten, den Kopf hielt er gesenkt. Plötzlich beschleunigte er sein Schlendern, er nahm große Schritte – und dann schluckte auch ihn die offene Türe ...

»Schon gut«, wiederholte Studer nach einer Pause – und er konnte den Blick nicht von Sonja wenden. Verzweiflung, Angst, Ratlosigkeit brachten Unruhe in das Kleinmädchengesicht.

Wenn sie nur Vertrauen zu mir hätte, grübelte Studer. Er dachte, während er den nächsten Worten Schwomms zerstreut lauschte, immerfort an seine Frau. Wenn die hier wäre ... Seit er ihr das Romanlesen abgewöhnt hatte, gelang es dem Hedy (Frau Studer hieß Hedwig) gut, geplagte, schweigsame Menschen zum Reden zu bringen – besonders Frauen.

Der Lehrer Schwomm aber sagte:

»Natürlich will ich nicht behaupten, daß ich Erwin Schlumpf auf der Flucht nach seiner ruchlosen Tat ertappt habe ...« (Verunfallt – ruchlose Tat, ging es Studer durch den Kopf ...) »Aber immerhin schien es mir merkwürdig, daß der Schatten die Richtung nach den Baumschulen des Herrn Ellenberger nahm ...«

»Die Baumschulen als Schattenreich, hehehe ...« mekkerte der alte Ellenberger. Studer sah ihn strafend an.

»Und Sie sind ganz sicher, zwei Schüsse gehört zu haben, und nach den zwei Schüssen haben Sie den Schatten in der Richtung der Baumschulen verschwinden sehen?«

»Ich glaube«, Schwomm stotterte, »ich glaube, ich habe zwei Schüsse gehört.« Wie hilfesuchend blickte sich der

Lehrer um. Aber er vermied es, Studer in die Augen zu sehen.

»Glauben! glauben!« sagte Studer vorwurfsvoll. »Ein Mann wie Sie darf nicht glauben, er muß sicher sein. Also zwei Schüsse? Ja?«

»Jaha«, es klang wie ein Seufzer.

Schweigen. Dann begann die Musik wieder zu spielen. Ausgerechnet: »Wenn du einmal dein Herz verschenkst ...« Studer sah den Coiffeurlehrling Sonja zum Tanz auffordern. Das Mädchen schüttelte den Kopf. Sie packte ihre kleine Handtasche unter den Arm, rannte durch den Garten. War es eine Flucht? War es nicht vielmehr ein letzter Versuch, jemanden einzuholen?

»Wer hat Ihnen den Auftrag gegeben, mir von zwei Schüssen zu erzählen, während ich durch fünf Zeugenaussagen erhärten kann, daß nur ein Schuß gefallen ist?« (Das mit den fünf Zeugenaussagen war aufgelegter Schwindel, in Murmanns Protokollen stand nichts dergleichen, aber was tat man nicht alles, um die Wahrheit zu finden?)

»Fünf Zeugenaussagen?« Schwomm war bleich. »Erhärten?«

»Ja, erhärten!« sagte Studer grob. »Übrigens interessiert mich das gar nicht. Sie haben ein schlechtes Gewissen, Herr Lehrer Schwomm. Sie haben versucht, das schlechte Gewissen los zu werden, indem Sie mir nur die Hälfte, was sage ich, die Hälfte! ... nur ein Viertel der Wahrheit erzählt haben. Ich will jetzt nichts mehr hören«, Studer winkte ab, denn Schwomm öffnete den Mund, um sich zu rechtfertigen. »Ich glaube Ihnen nichts mehr. Ich habe die Ehre, mich zu empfehlen ...«

Wenn Studer hochdeutsch sprach, und das kam selten genug vor, war die Wirkung immer die gleiche – ob es sich nun um die Wirkung auf Zivilpersonen handelte oder um die auf junge Fahnder. Alle spürten dann, es war am besten, man ließ den Wachtmeister in Ruhe.

»Heiß, heiß!« krächzte der alte Ellenberger. »Vous brûlez commissaire!« Wie es in jenem Spiel üblich ist, in dem ein versteckter Gegenstand gesucht werden muß und die Wissenden den Suchenden leiten mit Worten wie: »kalt, wärmer, sehr warm, heiß«, je nachdem der Suchende sich dem versteckten Gegenstand nähert oder sich von ihm entfernt.

»Ihr werdet auch nicht immer spielen können, Ellenberger«, sagte Studer. Sein Gesicht war sehr bleich, er hatte die Hände geballt. Dann zuckte er mit den Achseln und schritt zwischen den lauten Tischen hindurch, auf die Türe zu, in der Armin Witschi verschwunden war.

Im Schieberrhythmus spielte »The Convict Band«:

»Muß i denn, muß i denn zum Städtle hinaus ...«

Liebe vor Gericht

Montagmorgen halb acht Uhr im Bureau des Landjägerkorporals Murmann.

Studer saß am Fenster und blickte in den Garten, über den ein feiner Regen niederging. Es war kühl. Der heiße Sonntag war eine Täuschung gewesen.

Der Wachtmeister war allein. Er sah müde aus. Zusammengesunken hockte er auf dem bequemen Armstuhl in seiner Lieblingsstellung: Unterarme auf den Schenkeln, Hände gefaltet. Die Haut eines Gesichtes ließ an verregnetes Papier denken. Er seufzte von Zeit zu Zeit.

In der Hand hielt er einen Brief, drei engbeschriebene Bogen. Er las darin, ließ die Blätter wieder sinken, nahm sie wieder auf, schüttelte den Kopf. Es war ein Brief seines Partners im Billardspiel. Münch, der Notar, schrieb merkwürdige Dinge, Dinge, die vielleicht... vielleicht die Lösung geben konnten – die Lösung des verkachelten Falles Witschi. »Streng vertraulich« stand auf dem Briefkopf. Wie stellte sich der Münch eigentlich die Sache vor? Erzählte interessante Tatsachen, und man durfte sie nicht verwerten.

Der Brief handelte von Akzepten. Von Akzepten, die zusammen eine beträchtliche Summe ausmachten. Wechsel also, die von einem Gerzensteiner Bürger akzeptiert worden waren und nun der Einlösung harrten. Der Gerzensteiner, um den es sich handelte, hatte mit der Kantonalbank vor einer Woche ein Abkommen getroffen. Die Wechsel waren heute fällig gewesen, die Bank hatte sie vor einer Woche mit Ach und Krach auf acht Tage verlängert (prolongiert schrieb der Notar). Also heute in acht Tagen mußten sie bezahlt werden. Zehntausend Franken. Ein ordentlicher »Schübel« Geld. Münch nannte den Namen des Akzeptanten nicht, er war nicht schwer zu erraten ... Und einkassiert hatte der Witschi das Geld. Vor sechs Monaten ...

Dieser Witschi mußte es faustdick hinter den Ohren gehabt haben, er mußte ordentlich Geld verputzt haben. Wohin war das Geld gekommen? Spekulationen? Vielleicht. Münch schrieb, Witschi sei knapp vor dem Konkurs gestanden (und merkwürdigerweise stand auch der Gerzensteiner Bürger knapp vor dem Konkurs ...) Der Notar erzählte eine merkwürdige Geschichte. Er schrieb:

»Außerdem muß ich Dir, lieber Wachtmeister, noch eine sonderbare Geschichte erzählen. Du erinnerst Dich doch noch, daß ich Dir damals, beim Billardspielen, als wir den alten Ellenberger sahen, erzählte, Ellenberger sei bei mir gewesen, um eine zweite Hypothek, die er auf dem Hause des Wendelin Witschi habe, zu kündigen. Nun stimmt das nicht ganz. Ellenberger war schon einmal bei mir gewesen, eine Woche vorher und hatte mir eine Schuldverschreibung in der Höhe von fünfzehntausend Franken gebracht, die Witschi ihm ausgestellt hatte. Als Pfand hatte er eine Lebensversicherung hinterlegt, die auf zwanzigtausend Franken lautete. Ellenberger hatte es übernommen, die Prämie zu zahlen. Nun weiß ich nicht, was ihn bewogen hat, aber Ellenberger wollte zurücktreten. Er verlangte die Rückzahlung der betreffenden Summe sowie die Vergütung der gezahlten Prämien und forderte mich auf, dies Witschi mitzuteilen. Ich telephonierte Montag nachmittag (also am 1. Mai) dem Witschi nach Gerzenstein, er möge mich in meinem Bureau aufsuchen. Er kam gegen siebzehn Uhr zu mir. Ich teilte ihm den Entschluß seines Gläubigers mit. Witschi regte sich sehr auf, sagte, er sei ein ruinierter Mann, es bleibe ihm nichts anderes übrig, als sich das Leben zu nehmen. Ich machte ihn darauf aufmerksam, daß dies die Sache nicht ändern werde, sie werde dadurch nur schlimmer, denn die Versicherung würde sich alsdann weigern, die Summe auszuzahlen ...«

Es kamen einige technische Ausführungen und dann fuhr der Notar Münch fort:

»Witschi begann zu jammern, er schimpfte auf seine Frau und auf seinen Sohn, die ihm das Leben zur Hölle machten, wie er sich ausdrückte. Ich versuchte ihn zu beruhigen. Aber er regte sich immer mehr auf, plötzlich zog er einen Revolver aus der Tasche und drohte mir, er werde sich in meinem Bureau erschießen, wenn ich ihm nicht zu Hilfe käme. Der Mann begann mir auf die Nerven zu fallen, ich wollte ihn los sein, er klagte und jammerte weiter: der Gemeindepräsident wolle ihn internieren lassen ... Ich schnitt ihm das Wort ab: Das gehe mich gar nichts an, er solle machen, daß er aus meinem Bureau komme, ich könne solchen Lärm nicht brauchen. Da begann er wieder zu weinen, nein, er wolle nicht gehen, bis er nicht einen Rat erhalten habe. Ich konnte ihm aber keinen Rat geben und sagte ihm dies. Jetzt werde er sich also erschießen, sagte Witschi. Ich darauf: Aber nicht in meinem Bureau. Da habe er nicht die rechte Ruhe dazu, aber ich hätte eine leerstehende Kammer, wenn er sich dorthin bemühen wolle, so werde er dort die beste Gelegenheit haben, sich aus er Welt zu schaffen. Du wirst natürlich denken, lieber Wachtmeister, daß ich ein herzloser Mensch bin. Aber das bin ich gar nicht. Nur mußt du bedenken, daß ich in meiner Praxis schon viele derartige Fälle gehabt habe; Selbstmorddrohungen sind bequeme Erpressungsversuche. Die Leute wollen sich gar nicht umbringen, sie wollen nur Eindruck machen und versuchen, etwas herauszuschinden. Ich sage dir das vertraulich und du wirst mich verstehen.«

Studer schüttelte den Kopf. War es bei Witschi nicht doch vielleicht eine echte Verzweiflung gewesen? Er sah den Wendelin vor sich, wie er auf dem Schragen lag im hellen, allzu weißen Raum des Gerichtsmedizinischen ... Der ruhige, schier erlöste Ausdruck auf seinem Gesicht ... Münch schrieb weiter, und was er schrieb, schien eigentlich dem Notar recht zu geben:

»Ich führte den Wendelin in eine abgelegene Kammer und sagte zu ihm: ›Bitte!‹ Dann schloß ich die Türe. Ich war noch nicht fünf Schritte weit gegangen, als ich einen Schuß hörte. Nun wurde mir doch ungemütlich zumute. Ich kehrte zurück, öffnete die Türe: Witschi stand in der Mitte des Zimmers. Ein alter Spiegel, der an der Wand hing, hatte daran glauben müssen ... Aber Witschi hatte sich geschont. Merkwürdig scheint mir nur, daß er dann zwei Tage später im Walde erschossen aufgefunden worden ist. Ich kann da keine Meinung äußern ...«

Die Tür ging auf. Zwei Frauen traten ein. Frau Murmann, groß, mütterlich, schützend, führte Sonja ins Zimmer.

Studer sah die beiden Frauen an. Er nickte.

»Danke, Frau Murmann«, sagte er. »Ist's ohne Aufsehen gegangen?«

»Wohl, wohl«, antwortete die Frau. »Ich hab' sie vor dem Bahnhof erwartet, und sie ist ganz willig mitgekommen.«

»Wir fahren zusammen nach Thun, Meitschi, wir gehen den Schlumpf besuchen. Ist's dir so recht? Ich hab' nur nicht wollen, daß die Mutter etwas davon erfährt, drum hab' ich die Frau vom Landjäger geschickt, damit sie dir's sagt. Verstehst? Es ist weiter nicht gefährlich ...«

»Jawohl, Herr Wachtmeister.« Sonja nickte eifrig.

»Aber die Leute hier brauchen uns nicht zu sehen«, fuhr Studer fort. »Murmann leiht mir sein Motorrad, er wird vorausfahren und auf uns warten. Du kannst auf dem Soziussitz hocken, um neun Uhr sind wir in Thun. Vorher hat's keinen Zweck. Geh' jetzt mit der Frau Murmann. Ich muß noch arbeiten. Ich sag' dir dann, wann wir gehen. Du gehst voraus, und wir treffen uns. Verstehst?«

Sonja nickte schweigend.

»Komm, Meitschi«, sagte Frau Murmann.

Aber Sonja zögerte noch. Endlich stotterte sie (und Studer merkte, daß ihr das Schluchzen zuoberst in der Kehle saß):

Ob der Wachtmeister nicht wisse, wo der Armin hin sei?

»So? Ist er nicht daheim?«

– Nein, er sei verschwunden, seit ... ja seit er damals vom Tisch aufgestanden sei; aber die Mutter habe gar keine Sorge gezeigt, sie sei heut' morgen wieder zum Kiosk ... Was der Wachtmeister meine?

Der Wachtmeister schien gar nichts zu meinen, denn er schwieg. Er hatte etwas Derartiges erwartet. Die ganze Nacht hatte er in Witschis Garten verbracht, versteckt hinter einem großen Haselbusch und hatte den Schuppen nicht aus den Augen gelassen. Bevor er die Wache angetreten hatte, war er noch in den Schuppen gegangen. Die Tür mit den Spuren von Witschis Schießversuchen (eigentlich, hatte er gedacht, ist es noch gar nicht bewiesen, daß Witschi sich geübt hat) stand noch an der gleichen Stelle, und während der ganzen Nacht hatte niemand versucht, sie zu holen. Witschis Haus blieb still und dunkel, die alte Frau Anastasia war um zehn Uhr heimgekommen. Eine Stunde lang hatte Licht in der Küche gebrannt. Dann war das Haus dunkel geblieben bis zum Morgen. Studer war sicher, daß Frau Witschi wußte, wohin ihr Sohn gegangen war. Er tauchte sicher auf, wenn die Luft wieder rein war.

Aber was hatte ihn vertrieben, den Armin Witschi, den Maquereau? Etwa Schreiers, des Handharfenspielers, laut gesprochene Worte: »So, so, hat das Schlumpfli gestanden?«

War etwa das Geständnis Schlumpfs nicht im Programm vorgesehen gewesen?

Wie leicht hätte Studer den Aufenthaltsort des Armin erfahren können! Aber er wollte ihn vorläufig gar nicht wissen. Heut' am Morgen, beim Frühstück, hatte die Bertha, die Saaltochter, verweinte Augen gehabt. Sie hatte hin und wieder trocken aufgeschnupft und Studer hatte sich treuherzig erkundigt, was denn los sei?

– Gar nüd sei los, hatte die Bertha gemeint.

Da hatte Studer sich nicht beherrschen können und im gleichen treuherzigen Ton weitergefragt:

– Wieviel Geld sie denn dem Armin habe geben müssen?

– Fünfhundert Franken, ihr ganzes Erspartes! Aber der Wachtmeister müsse das für sich behalten, ja nicht weiter sagen! Sobald die Versicherungen ausbezahlt seien, werde der Armin sie heiraten, das habe er ihr versprochen, ja, geschworen habe er es ihr. Sie wisse nicht, warum sie das jetzt dem Wachtmeister erzählt habe, sie hätte nichts sagen sollen, der Armin habe ihr das Versprechen abgenommen ... und weiter in dem Ton. Studer hatte dem Mädchen beruhigend die Hand getätschelt. Diese Saaltochter! Sie war nicht mehr jung, immer mußte sie freundlich sein mit den Gästen, mußte klobige Witze anhören, sich handgreifliche Zärtlichkeiten gefallen lassen ... Und dann kam einer, wie der Armin Witschi ... Er war freundlich, rücksichtsvoll, unglücklich, er war ein Studierter ... Was Wunder, daß das Mädchen sich in ihn verliebte? Vielleicht war der Armin gar kein schlechter Kerl. Man müßte mit dem Burschen einmal reden, hatte Studer gedacht und in sich hineingelächelt: Wachtmeister Studer als Heiratsvermittler! ...

Sonja wartete auf eine Antwort. Sie blickte erwartungsvoll auf Studer.

»Der Armin wird schon wieder kommen«, sagte er. »Geh' jetzt mit der Frau Murmann. In einer Stunde fahren wir.«

Und Sonja ging.

Studer setzte sich an den Schreibtisch. Er nahm ein Folioblatt, legte es vor sich hin und schrieb ganz oben, in die Mitte des Bogens, das Wort:

Dann begann er nachzudenken. Aber auch hier sollte er nicht weiterkommen. Eine der Haupteigenschaften des Falles Witschi schien die zu sein, daß es unmöglich war, irgendeinen Teil zu einem Abschluß zu bringen. Hatte er nicht zum Beispiel gestern das Verhalten Ellenbergers und des Gemeindepräsidenten beim »Zuger« beobachten wollen? Was war dazwischen gekommen? Natürlich ein Telephon, dann die Entdeckung Schreiers ...

Und jetzt meldete sich selbstverständlich das Schrillen der Telephonklingel. Studer hob den Hörer ab, sagte, wie er es in seinem Bureau in Bern gewohnt war:

»Ja?«

»Bist du's, Studer?« fragte eine Stimme. Es war der Polizeihauptmann.

»Ja«, sagte Studer. »Was ist los?«

»Also paß auf. Der Reinhardt hat heut' morgen die Waffengeschäfte abgeklopft. Gleich beim ersten hat er Glück gehabt. Der Besitzer war schon im Laden, und er hat sich gut erinnert, daß er vor vierzehn Tagen einen Browning verkauft hat. Marke stimmt, Nummer stimmt. Er erinnert sich auch an den Mann, der ihn gekauft hat ...«

»Und?« fragte Studer, da der Hauptmann schwieg.

»Bist ungeduldig? Keine Aufregung, Studer. Du blamierst dich ja doch wieder ... Hä? ... Du bist so still, Studer. Also, der Reinhardt hat mir erzählt, der Waffenhändler erinnere sich noch gut an den Käufer. Es war ein alter Mann, dem alle Zähne gefehlt haben, er hat ein halbleiniges Kleid getragen. Dem Verkäufer ist noch aufgefallen, daß der

Mann braune moderne Halbschuhe getragen hat und schwarze seidene Socken. Er hat keinen Namen angegeben …«

»Das ist auch nicht nötig gewesen.« Studer sprach stokkend. Es war einerseits schwierig, diese Neuigkeit zu verdauen, andererseits hatte man etwas Ähnliches erwartet …

»Du, paß gut auf«, sagte Studer. »Ich schick' dir einen Browning, ich geb' ihn expreß auf, und dann wird dir das Gerichtsmedizinische die Kugel schicken, die im Schädel vom Witschi steckengeblieben ist. Hast du einen Sachverständigen bei der Hand? Ja? Gut. Du übergibst ihm beides und läßt dir ein Gutachten machen, ob die im Kopfe des Witschi gefundene Kugel aus dem Browning stammt, den ich dir schicke. Und der Reinhardt soll noch die andern Geschäfte abklopfen. Vielleicht ist eine zweite Waffe von der gleichen Marke verkauft worden. Verstanden? – Und das Gutachten brauch' ich heut' abend. Spätestens um fünf. Auf Wiedersehen …«

Studer hing den Hörer ganz vorsichtig an die Gabel, stützte die Wange auf seine Faust. Dabei fiel sein Blick auf das Wort ›BILANZ‹, das er sorgfältig an den Kopf eines weißen Folioblattes gesetzt hatte. »Das hat Zeit«, dachte er, strich das Wort durch, faltete das Blatt vorsichtig zusammen und steckte es in die Rocktasche.

Nasse Socken sind unangenehm. Besonders wenn man fühlt, daß der Schnupfen, der sich vor zwei Tagen gemeldet hat, im Begriffe ist, sich in einen schweren Katarrh zu verwandeln. Schließlich, in einem gewissen Alter, wird man empfindlicher, man hängt mehr am Leben, man fürchtet sich vor einer Lungenentzündung, man möchte trockene Wäsche anziehen, um dieser Gefahr zu entgehen. Aber wenn dies nicht möglich ist (man kann doch einen hocheleganten Untersuchungsrichter mit seidenem Hemd nicht einfach bitten: »Können Sie mir vielleicht ein Paar trockene Socken leihen?...«), so beißt man die Zähne zusammen, auch wenn die Zähne den undisziplinierten Vorsatz gefaßt haben, ein klapperndes Geräusch zu erzeugen...

Das kam davon, wenn man sich wie ein Zwanzigjähriger auf ein Töff setzte und im strömenden Regen fünfundzwanzig Kilometer fuhr. Und es war eigentlich gar kein Trost, daß Sonjas Strümpfe auch naß waren.

Besagte Sonja wartete draußen im Gang. Sie saß klein und zusammengekauert auf einer Holzbank, und ein Polizist patrouillierte vor ihr auf und ab.

Studer saß wieder auf dem allzu kleinen Stuhl, der sicher für die Angeklagten bestimmt war, saß dem Untersuchungsrichter gegenüber, der an seinem mit einem Wappen geschmückten Siegelring drehte und sagte:

»Ich begreife Sie nicht, Herr Studer. Die Sache ist doch erledigt. Wir haben das Geständnis des Burschen, es ist vollständig, er gibt an... er gibt an...« Der Untersuchungsrichter ließ den Ring sein und suchte nervös auf dem Tisch. Endlich kam der blaue Pappdeckelumschlag zum Vorschein, dessen Etikette die Worte trug: ERWIN SCHLUMPF MORD.

»Er gibt an...« sagte der Untersuchungsrichter zum drittenmal und kämpfte mit den aufsässigen Seiten, »ah... hier: Ich habe dem Herrn Witschi abgepaßt, habe ihn mit vorgehaltenem Revolver gezwungen abzusteigen. Er ist mir in den Wald gefolgt, allwo ich ihn gezwungen habe, mir seine Brieftasche auszuliefern, sowie seine Uhr und sein Portemonnaie. Ich weiß nicht, was mich dazu bestimmt hat, ihn nachher mit einem Schusse niederzustrecken, aber ich denke, ich habe Angst gehabt, daß er mich erkannt hätte, obwohl ich ein schwarzes Tuch über die untere Hälfte meines Gesichtes gebunden hatte... (Auf Befragen) Ich brauchte notwendig Geld, um mir ein Fahrrad zu kaufen. –«

Der Untersuchungsrichter stockte. Studer schneuzte sich und blies Trompetensignale, unterbrach sie, nieste, aber das Niesen gemahnte an ein unterdrücktes Kichern. Schließlich beruhigte er sich und fragte mit tränenden Augen:

»Hat das Schlumpfli wortwörtlich so gesprochen? Ich meine, Sätze wie: ›allwo ich ihn gezwungen habe, mir seine Brieftasche auszuliefern ...‹ und: ›... was mich dazu bestimmt hat, ihn nachher mit einem Schusse niederzustrekken ...‹ Hat er das wirklich so gesagt?«

Der Untersuchungsrichter war beleidigt.

»Sie wissen doch, Wachtmeister«, sagte er streng, »daß es uns obliegt, die Aussagen zu formulieren. Wir können doch nicht das ganze Gerede eines Angeklagten stenographieren. Die Akten würden zu Bänden anwachsen ...«

»Ja, sehen Sie, Herr Untersuchungsrichter, das scheint mir immer ein großer Fehler. Ich würde die Worte der Angeklagten sowohl, als auch der Zeugen, nicht nur stenographieren, sondern die Worte auf Platten aufnehmen lassen. Man bekäme dann jeden Tonfall heraus ...«

Schweigen. Der Untersuchungsrichter war anscheinend

beleidigt. Studer beschloß, ihn zu versöhnen. Er stand auf, ging zum offenen Kamin, der in einer Ecke des Raumes stand – und ein Holzfeuer flackerte darin, im Mai! – stellte sich mit dem Rücken dagegen und wärmte sich die Schuhsohlen.

»Die Sache ist die, Herr Untersuchungsrichter, daß ich einige Merkwürdigkeiten an dem Falle bestätigt gefunden habe. Darum fällt es mir schwer, an die Schuld des Schlumpf zu glauben. Ich habe einen Zeugen mitgebracht, den ich gerne dem Burschen gegenüberstellen möchte. Er ist draußen im Gang. Nun sollten sich die beiden aber vorerst nicht sehen. Haben Sie nicht einen Raum, in dem mein Zeuge warten könnte? Ich werde ihn rufen, wenn es nötig sein wird.«

Der Untersuchungsrichter nickte. Er drückte auf einen Knopf und gab dem eintretenden Polizisten den Befehl, die Person, die mit dem Wachtmeister gekommen sei, ins Wartzimmer zu tun (wie beim Zahnarzt, dachte Studer) und dann den Schlumpf Erwin vorzuführen. –

Schlumpfs erste Worte waren:

»Aber ich hab' doch gestanden, was wollt Ihr noch?«

Dann erst sah er den Wachtmeister, nickte ihm zu, hob kaum die Augen und wollte sich zu dem Stuhl schleichen; aber Studer ging ihm entgegen, streckte ihm die Hand hin:

»Und, Schlumpfli, wie geht's seit dem letztenmal?«

»Nicht gut, Wachtmeister«, sagte Schlumpf und ließ seine Hand bewegungslos in der des anderen liegen. Studer drückte die schlaffe Hand.

»Du hast dich anders besonnen, Schlumpfli, hab' ich gehört?«

»Ja, es hat mich zu arg gedrückt.«

»A bah«, machte Studer und lächelte. Schlumpf blickte erstaunt auf.

»Ja, glaubt Ihr mir nicht, Wachtmeister?«

»Ich glaub' noch immer das, was du mir im Zug erzählt hast.« Studer nieste.

»G'sundheit«, sagte Schlumpf mechanisch. Er hockte auf dem Angeklagtenstuhl, hielt den Kopf gesenkt, manchmal schielte er nach Studer hin, als ob von dort eine Gefahr drohe. Er sah aus wie ein Schulbub, der das Kommen einer Ohrfeige wittert und nicht den Augenblick verpassen will, sie mit gehobenen Ellenbogen zu parieren.

»Ich will dir nichts tun, Schlumpfli«, sagte Studer, »ich will dir nur helfen. Hast du den Mann gekannt, der gestern wegen Autodiebstahl eingeliefert worden ist?«

Es gab Schlumpf einen Ruck. Er riß die Augen auf, riß den Mund auf, wollte sprechen, aber da sagte der Untersuchungsrichter:

»Was soll das, Wachtmeister?«

»Nichts, Herr Untersuchungsrichter. Der Schlumpf hat schon geantwortet.« Dann, nach einer kleinen Pause: »Ich darf doch rauchen?« und zog ein gelbes Päckchen aus der Tasche. Grinsend: »Eine Zigarette. Und auch der Schlumpf wird gern eine nehmen. Es reinigt die Atmosphäre.«

Der Untersuchungsrichter mußte wider Willen lächeln. Ein komischer Kauz, dieser Studer... In einer Ecke stand ein einsamer Stuhl. Studer packte ihn an der Lehne, schwang ihn ins Zimmer, setzte sich rittlings darauf, stützte die Unterarme auf die Lehne, blickte Schlumpf fest an und sagte:

»Warum schwindelst du den Herrn Untersuchungsrichter an? Das ist doch Chabis, du hast doch den Witschi ganz anders umgebracht. Du hast ihn aufgehalten, das kann vielleicht stimmen, hast ihm gesagt, es wolle ihn jemand sprechen, und wie er dann vor dir hergegangen ist, hast du ihn erschossen. Dann hast du die Leiche umgedreht, die Brieftasche genommen – stimmt's? Wie du die Leiche verlassen hast, ist sie auf dem Rücken gelegen, nicht wahr? Sag' jetzt die Wahrheit. Lügen nützt nichts. Ich weiß es.«

»Ja, Herr Wachtmeister. Auf dem Rücken ist er gelegen, der Mond hat geschienen, und der Witschi hat mich angeglotzt ... Ich bin gelaufen, gelaufen ...«

Studer stand auf, er schwenkte die Hand, wie ein Artist im Zirkus: »Quod erat demonstrandum – was zu beweisen war.«

Er war mit zwei Schritten am Tisch, blätterte im Aktenbündel, riß eine Photographie heraus, hielt sie Schlumpf unter die Nase:

»So ist er gelegen, der Witschi, auf dem Bauch ist er gelegen, du Löli, verstehst? Und er hat unmöglich auf dem Rükken liegen können, weil keine Tannennadel auf seiner Kutte sind. Verstehst du das?«

Und dann, zum Untersuchungsrichter gewandt:

»Ist nicht noch eine Photographie da? Auf der nur der Kopf drauf ist?«

Der Untersuchungsrichter war aus der Fassung geraten. Er stöberte im Aktenbündel. Doch, es war noch eine Photographie da, er wußte es. Zwei, die den ganzen Körper des Witschi zeigten, eine, auf der nur der Kopf war, der Kopf mit der Wunde hinter dem rechten Ohr und rundherum der Waldboden, mit Tannennadeln bedeckt. Er fand sie endlich und reichte sie Studer.

»Die Lupe«, sagte der Wachtmeister. Es klang wie ein Befehl.

»Hier, Herr Studer.« Der Untersuchungsrichter wurde ganz ängstlich. Wie lange mußte man sich noch den Anordnungen dieses Fahnders fügen?

Studer ging ans Fenster. Es war still im Zimmer. Der Regen pritschelte eintönig gegen die Scheiben. Studer starrte durch die Lupe, starrte, starrte ... Endlich:

»Ich muß die Photo vergrößern lassen. Darf ich sie mitnehmen?«

»Dies wäre eigentlich Sache der Untersuchungsbehörde«, sagte der Untersuchungsrichter und versuchte seiner Stimme einen abweisend sachlichen Ton zu geben.

»Ja, und dann geht es drei Wochen. Ich hab' einen Mann bei der Hand, der es mir bis heut' abend macht. Also ich kann sie mitnehmen?« Studer erwischte ein Kuvert auf dem Tisch, riß von einem Block einen Zettel ab, kritzelte ein paar Worte drauf, schloß das Kuvert, drückte auf den Klingelknopf. Der Polizist öffnete die Tür. Studer stand schon vor ihm.

»Nimm dein Velo, fahr auf den Bahnhof, expreß. Da ist Geld. Aber rasch! ...«

Der Polizist schaute erstaunt auf den Untersuchungsrichter. Der nickte, etwas verlegen, dann sagte er:

»Aber zuerst führen Sie die Person herein, die mit dem Wachtmeister gekommen ist. Das haben Sie wohl vergessen, Herr Studer ...«

»Ganz richtig«, sagte Studer zerstreut. »Das hab' ich richtig vergessen.«

Er strich sich über die Stirn und massierte die Augendeckel mit Daumen und Zeigefinger.

Die schwarzen Punkte auf dem Nadelboden neben dem Kopf ... was hatten die schwarzen Punkte zu bedeuten? Sie sahen aus wie winzige Teilchen verkohlten Zigarettenpapiers ... Wenn man sie auf der Vergrößerung als solche erkennen könnte! ... Schwierig, doch nicht ganz unmöglich ... Dann ... Dann hatte der Lehrer Schwomm vielleicht doch nicht gelogen, als er von zwei Schüssen sprach ... Dann, ja, dann wurde die Sache bedeutend einfacher ... Kinderleicht ...

Ein kleiner, spitzer Schrei. Sonja stand in der Tür.

Schlumpf war aufgesprungen.

»Gebt euch doch die Hand, Kinder«, sagte Studer trokken aus seiner Ecke heraus.

Die beiden standen voreinander, rot, verlegen, mit hängenden Armen. Endlich:

»Grüeß di, Erwin.«

Antwort, gewürgt:

»Grüeß di, Sonja.«

»Hocked ab!« sagte Studer und stellte seinen Stuhl dicht neben Schlumpf. Sonja nickte dem Wachtmeister dankend zu und setzte sich. Ganz leise sagte sie noch einmal und legte ihre kleine Hand mit den nicht ganz sauberen Nägeln auf Schlumpfs Arm:

»Grüeß di. Wie geht's dir?«

Der Bursche schwieg. Studer stand wieder am Kamin, wärmte sich die Waden und blickte auf die beiden. Der

Untersuchungsrichter sah ihn fragend an. Studer winkte beschwichtigend ab: »Nur machen lassen.« Zum Überfluß legte er noch den Zeigefinger auf die Lippen:

Ein Windstoß ließ die Scheiben leicht klirren. Dann rauschte eintönig der Regen. Ein neuer Windstoß fuhr in den Kamin, Studer war plötzlich von einer blauen Wolke umgeben. Er hätte husten sollen, gewaltsam unterdrückte er den Reiz. Er wollte die Stille nicht stören ...

Sonjas Hand streichelte den Ärmel des Burschen auf und ab, fand das Handgelenk und blieb dort liegen.

»Bist ein Guter«, sagte Sonja leise. Ihre Augen waren weit offen und blickten in die Augen ihres Freundes. Und auch Schlumpf schaute und schaute. Studer erkannte sein Gesicht kaum wieder. Es lächelte nicht, das Gesicht. Es war sehr ernst und ruhig. Es sah wirklich aus, als sei das Schlumpfli plötzlich erwachsen geworden.

»War's sehr schwer?« fragte Sonja leise. Beide schienen vergessen zu haben, daß sie nicht allein im Zimmer waren. Plötzlich seufzte Schlumpf tief auf und dann ließ er den Oberkörper nach vorne fallen. Sein Kopf lag auf dem Schoß des Mädchens. Die kleine Sonja schien zu wachsen. Gerade aufgereckt saß sie da, ihre Hände lagen gefaltet auf dem Kopf des Burschen Schlumpf.

»Ja, du bist ein Guter. Weißt, ich hab' immer an dich gedacht. Immer, immer hab' ich an dich gedacht.« Es klang wie ein Wiegenlied.

Stockend, kaum zu verstehen, denn Schlumpf ließ den Kopf liegen, wo er war, und das Kleid dämpfte noch die Worte:

»Ich hab's gern für dich getan.« Dann fuhr der Kopf in die

Höhe, Schlumpf lächelte. Es war ein merkwürdig verkrampftes Lächeln; und er sagte:

»Weißt, ich bin den Betrieb schon gewohnt.«

Wenn auch der Kopf sich frei gemacht hatte, Sonjas verschränkte Hände lagen noch immer im Nacken des Burschen. Sie zog ihn näher, küßte ihn auf die Stirn.

»Darfst nicht mehr dran denken, gell? Nie mehr! Das ist vorbei ...«

Schlumpf nickte eifrig.

Studer hustete. Es ging einfach nicht mehr, der Rauch setzte sich sonst in seiner Lunge fest. Sein Schneuzen klang wieder wie ein Trompetensignal, aber wie ein triumphierendes. Das Gesicht des Untersuchungsrichters war weich geworden. Er spielte mit einem Papiermesser, trommelte auf dem Aktendeckel, auf dem in schöner Rundschrift stand SCHLUMPF ERWIN und darunter in Blockbuchstaben: MORD.

Er legte den Brieföffner leise ab, klopfte das Aktenbündel mit der Kante auf den Tisch. Dann nahm er einen dicken Schmöker, der am Rande seines Schreibtisches lag, schob den Akt Schlumpf darunter und schlug mit der flachen Hand ein paarmal auf den Buchdeckel.

»Ja«, sagte er und es war ein Seufzer. Er war Junggeselle, schüchtern wahrscheinlich. Vielleicht beneidete er den Burschen Schlumpf. »Ja«, sagte er noch einmal, diesmal ein wenig fester. »Und was hat das alles zu bedeuten, Herr Studer?«

»Oh, nüt Apartigs«, sagte Studer. »Sonja Witschi möchte eine Aussage machen.«

Nun war dies sicher eine Übertreibung, denn Sonja

Witschi hatte sich bis jetzt immer standhaft geweigert, eine Aussage zu machen. Sie war sogar stumm gewesen wie ein Fisch.

»Fräulein Witschi«, der Untersuchungsrichter war überaus höflich. »Ich werde sogleich meinen Schreiber rufen lassen, und dann werden Sie uns mitteilen, ob Sie etwas über den Tod Ihres Vaters auszusagen haben.« Er sah nicht auf und ärgerte sich innerlich über die Phrase.

Studer meldete sich. Er wolle gern den Gerichtsschreiber machen, sagte er. Dann sei man mehr unter sich. Und er könne ganz gut mit der Maschine umgehen, wenn es sein müsse. Mit zwei Fingern zwar. Aber es werde wohl langen, wenn Sonja nicht zu schnell erzähle. Der Untersuchungsrichter nickte. Schlumpf mußte aufstehen, er stand an der Wand und starrte auf Sonja. Und Sonja begann zu erzählen.

Der Fall Witschi zum dritten und vorletzten Male

Hinter allem habe der alte Ellenberger gesteckt...

»Das ist der Baumschulenbesitzer in Gerzenstein«, warf Studer ein.

»Woher wissen Sie das?« fragte der Untersuchungsrichter.

»Der Vater hat's mir erzählt. Vor vierzehn Tagen, das weiß ich noch genau. Wir sind zusammen spazieren gegangen, es war ein Sonntag, schön war's. Wir sind durch den Wald gelaufen. Der Vater hat gesagt, er halte es daheim nicht mehr aus, die Mutter quäle ihn so, und auch der Armin, wegen der Versicherung, die er verpfändet habe, und da habe der Vater gesagt, hinter allem stecke der alte Ellenberger. Der reize die Mutter immer auf.«

»Versicherung?« fragte der Untersuchungsrichter.

»Wissen Sie, die Heftli!...« sagte Studer, als ob damit alles erklärt wäre. »Und...«

»Und dann haben wir auch noch eine Unfall- und Lebensversicherung bei einer Gesellschaft gehabt...«

Studer unterbrach wieder:

»Und die war dem alten Ellenberger für fünfzehntausend Franken verpfändet worden, nicht wahr?«

Sonja nickte.

»Das war vor zwei Jahren«, sagte sie. »Damals hat das

ganze Unglück begonnen. Das Vermögen der Mutter war in fremden Aktien angelegt, ich weiß nicht mehr, wie sie geheißen haben, sie haben viel Zinsen gebracht...«

»Dividenden ausgezahlt...« stellte der Untersuchungsrichter fest.

»Ja, und dann sind die Papiere keinen Rappen mehr wert gewesen. Da hat der Vater seine Lebensversicherung genommen und hat sie beim Ellenberger verpfändet.

Damals war der Vater viel mit dem Schwomm zusammen, mit dem Lehrer Schwomm. Der Lehrer Schwomm hat einen Verwandten gehabt im Elsaß. Und der war bei einer Gesellschaft, einer deutschen, die versprach 10% Zinsen. Ja, ich glaub', so war es. Und der Vater war so froh, er sagte noch, jetzt könne er das verlorene Geld wieder zurückgewinnen und ist zum Ellenberger gegangen und hat auf seine Versicherung Geld aufgenommen. Das Geld hat der Verwandte vom Lehrer eingesteckt und ist damit nach Deutschland gefahren... Aber wir haben nie wieder etwas von ihm gehört – vom Geld mein' ich. Der Mann ist in Basel verhaftet worden. Er hat nicht nur in Gerzenstein die Leute betrogen, auch in den Städten. Die Gesellschaft hat schon bestanden, in Deutschland, er aber hat gar nichts mit ihr zu tun gehabt. Der Lehrer Schwomm hat den Vater gebeten, nichts von der Sache zu erzählen. Und der Vater hat auch geschwiegen...«

»Ich glaube, diese ganze Geschichte brauchen wir nicht ins Protokoll aufzunehmen, Herr Studer«, sagte der Untersuchungsrichter.

»Gewiß, gewiß...« antwortete Studer, drückte ein paarmal auf den Umschalter und faltete dann die Hände. »Jetzt ist es ganz bös geworden«, erzählte Sonja weiter. »Es war kaum mehr auszuhalten daheim. Kein Geld, viel Schulden... Der Armin, der nicht weiter studieren konnte und jeden Tag hässiger wurde, die Mutter, die vom Morgen bis zum Abend klagte... Damals kam der Onkel Aeschbacher oft. Er konnte sehr lieb sein, der Onkel Aeschbacher. Ich hatte ihn fast so gern wie den Vater. Als er sah, daß ich immer trauriger wurde, verschaffte er mir die Stelle in Bern. Die Mutter bekam den Zeitungskiosk. Mit dem Vater kam der Onkel nicht gut aus. Ich weiß selbst nicht, warum. Und der Vater beobachtete ihn immer, so heimlich; manchmal hatte ich Angst. Für wen? Ich weiß es selbst nicht... Er ist ein kurioser Mann, der Onkel Aeschbacher...« wiederholte Sonja und schwieg einen Augenblick.

»Gewöhnlich kam der Onkel Aeschbacher am Abend. Dann war ich allein zu Hause. Die Mutter mußte im Kiosk bleiben bis zum letzten Zug, um neun Uhr, der Vater kam auch spät und der Armin... Mit dem Armin war schlecht auszukommen.«

Schweigen. Der große Wind vor den Fenstern war still geworden. Das Licht im Zimmer war grau.

»Die andern im Dorf haben das nie gewußt«, sagte Sonja und ihre Stimme war leise, »aber der Onkel Aeschbacher war ein unglücklicher Mann. Ich hab' es gewußt. Und ich hab' ihn gern gehabt, obwohl er den Vater nicht hat leiden können. Auch der Vater...«

»Ja, ja, schon gut«, sagte der Untersuchungsrichter und man merkte es ihm an, daß er ungeduldig wurde. »Mich interessiert am meisten, was am Abend des Mordes passiert ist!«

Sonja blickte auf, sie sah den Untersuchungsrichter vorwurfsvoll an und dann sagte sie mit einer Stimme, die stark an die ihrer Mutter erinnerte:

»Ich muß von dem, was früher geschehen ist, doch auch erzählen, sonst kommt Ihr ja nicht nach!«

»Sowieso«, meinte Studer, »nur erzählen lassen. Wir haben ja Zeit. Schlumpfli, eine Zigarette?«

Der Bursche Schlumpf nickte. Sonja erzählte weiter.

»Vor einem halben Jahr etwa ist zwischen dem Vater und dem Onkel Aeschbacher alles anders geworden. Es sah so aus, als ob der Onkel vor dem Vater Angst hätte. Das war...« Sonja stockte, »das war nach einem Abend...« Sonja wurde rot und und schielte zu Schlumpf hinüber. Der stand aufrecht da, rauchte schweigend, sichtlich aufgeregt und nahm tiefe Lungenzüge...

»An einem Abend, da war ich allein mit dem Onkel Aeschbacher. Er war traurig. Es war Anfang Dezember. Draußen war's dunkel. Ich hab' die Lampe anzünden wollen. Da sagt der Onkel Aeschbacher: ›Laß die Lampe, Meitschi, mir tun die Augen weh.‹ Dann schweigt er und hält seine dicke Hand wie einen Schirm über die Augen.

Ich saß am Tisch. ›Es geht alles schief. Sie haben mich nicht in die Kommission gewählt...‹ In welche Kommission? hab' ich gefragt. ›Ah, das verstehst du nicht‹, sagt er drauf. Und ich soll ein wenig zu ihm kommen. Er saß in einem tiefen Lehnstuhl, ganz in einer finsteren Ecke. Ich bin hingegangen, er hat mich auf seine Knie genommen und mich festgehalten. Ich hab' gar keine Angst gehabt, denn er ist immer gut zu mir gewesen, der Onkel Aeschbacher.«

Seufzer.

»Da plötzlich ist die Tür aufgerissen worden, das Licht ist angegangen. In der Tür steht der Vater und der Armin. ›So‹, sagt der Vater, ›hab' ich dich endlich erwischt, Aeschbacher. Was fällt dir ein, meine Tochter zu karessieren?‹ Der Onkel hat mich weggestoßen, ist aufgesprungen: ›Du bist besoffen, Witschi!‹ hat er gesagt. Und dann hat er mich fortgeschickt. Mehr hab' ich nicht hören können. Sie sind dann noch etwa eine Stunde beisammen gesessen. Der Armin war auch dabei. Von dieser Zeit an hat der Onkel kaum mehr mit mir gesprochen. Aber mit dem Vater ist es immer schlimmer geworden, der alte Ellenberger von der Baumschule hat ihm Papiere gegeben, die hat er in Bern umgewechselt. Dann verschwand der Vater immer auf eine Woche oder zwei aus Gerzenstein, kam dann wieder, müd, traurig. Wenn ich ihn fragte, wo er gewesen sei, sagte er nur: ›In Genf.‹ Einmal hab' ich den Vater zufällig in Bern getroffen. Auf der Hauptpost. Ich hab' ein pressantes Paket fürs Geschäft aufgeben müssen. Er hat mich nicht gesehen. Er stand vor einem Postfach, nahm Briefe heraus, riß die Kuverts auf und warf sie dann weg. Er sah traurig aus, der Vater, er ging aus der Halle wie ein alter Mann. Ich hab' dann ein Kuvert, das er weggeworfen hat, aufgelesen. Es kam von einer Bank in Genf.«

»Spekuliert, weiter spekuliert...«, sagte Studer leise und der Untersuchungsrichter nickte.

Man kann den Wendelin entschuldigen, dachte Studer. Er hat's für die Familie getan. Hat das Geld zurückholen wollen, das Geld der Frau...

Da sprach Sonja weiter:

»Er ist immer öfter zum Ellenberger gegangen, damals.

Er hat auch viel getrunken, der Vater. Nicht regelmäßig. Aber so alle Wochen ein- oder zweimal ist er betrunken heimgekommen. Einmal hab' ich ihm Schnaps holen müssen. Einen halben Liter. Er ist früh in sein Zimmer hinauf. Die Mutter war an dem Abend beim Onkel Aeschbacher eingeladen. Sie ist erst spät heimgekommen. Am nächsten Morgen war die Flasche leer. Ich hab' sie fortgeworfen, damit die Mutter sie nicht sieht.«

Wieder das Schweigen. Man sah es dem Untersuchungsrichter an, daß er ungeduldig wurde. Aber Studer beruhigte den nervösen Herrn mit einer beschwichtigenden Handbewegung.

»Heut' vor acht Tagen bin ich wie gewohnt um halb sieben heimgekommen. Der Vater war schon da. Er stand im Wohnzimmer, beim Klavier und hörte mich nicht kommen. Ich hab' geschaut, was er macht. Er hat die Vase, die immer auf dem Klavier steht, in der Hand gehalten, hat sie geschüttelt, es hat geklirrt, dann hat er sie wieder an ihren Platz gestellt und das Herbstlaub geordnet. ›Was machst du da, Vater?‹ hab' ich gefragt. Er ist ein wenig erschrocken. Ich hab' dann nicht weiter gefragt. Am nächsten Morgen bin ich als erste aufgestanden. Es waren fünfzehn Patronenhülsen in der Vase. Ja!«

Sonja sah den Untersuchungsrichter an, sah Schlumpf an. Sie schien auf laute Rufe des Erstaunens zu warten. Aber die beiden blieben stumm. Einzig Studer, vor der Schreibmaschine, auf der er noch kein Wort getippt hatte, winkte ab:

»Das wissen wir. Wir haben auch die Tür gefunden, die deinem Vater als Schießscheibe gedient hat...«

Da wurde endlich der Untersuchungsrichter doch von Neugierde geplagt. Und Studer mußte von der Entdeckung im dunklen Schuppen erzählen, von dem abgehobelten Rechteck auf der altersschwarzen Tür und von den Einschußöffnungen, die keine Pulverspuren an den Rändern gezeigt hatten.

Der Untersuchungsrichter nickte.

»Und wie war es am Dienstagabend, was haben Sie da getrieben, Fräulein Witschi?«

»Ich bin mit dem Erwin spazieren gegangen«, sagte Sonja und ihr Gesicht blieb bleich. »Wir waren zusammen im Wald, es war ein schöner Abend. Ich bin um elf Uhr heimgekommen. Der Vater war noch nicht zu Hause. Die Mutter ist am Tisch gehockt, in der Küche. Sie schien aufgeregt. Auch der Armin war nicht zu Hause. Ich hab' gefragt, wo die beiden seien. Die Mutter hat die Achseln gezuckt. ›Draußen‹, hat sie gesagt. Um halb zwölf ist der Armin heimgekommen. Die Mutter hat gefragt: ›Hat er? ...‹ Der Armin hat genickt und begonnen seine Taschen zu leeren.«

»Halt!« rief der Untersuchungsrichter. »Herr Studer, schreiben Sie bitte.« Und er diktierte nach den einleitenden Floskeln jedes Zeugenverhörs Sonjas Erzählung.

»Weiter«, sagte er darauf. »Inhalt der Taschen?«

»Eine Browningpistole, eine Brieftasche, ein Füllfederhalter, ein Portemonnaie, eine Uhr. Das alles legte der Armin auf den Tisch. Ich hab' gezittert vor Angst. ›Was ist dem Vater passiert?‹ hab' ich immer wieder gefragt. Aber die beiden gaben keine Antwort. Armin öffnete die Brieftasche und zog eine Hunderter- und eine Fünfzigernote heraus. Die Mutter nahm sie, ging zum Sekretär, versorgte die

Fünfzigernote und kam mit drei Hunderternoten zurück. Armin nahm das Geld, legte es auf den Tisch und sagte: ›So, jetzt mußt du zuhören und morgen genau das tun, was ich dir sage. Der Vater hat sich erschossen.‹ ›Nein‹, hab ich gerufen und hab' angefangen zu weinen. ›Nein! Das ist nicht wahr!‹ – ›Plärr jetzt nicht und hör' zu. Der Vater hat gefunden, es sei so das beste für ihn. Aber er hat mit uns ausgemacht, mit der Mutter und mir, daß es nicht als Selbstmord gelten darf. Denn wenn es ein Selbstmord ist, so zahlt die Versicherung nichts.‹ – Ich weinte. Dann sagte ich: ›Aber das werden die Leute doch merken, daß er sich erschossen hat. Das geht doch in Romanen, aber nicht in der Wirklichkeit!‹ Hab' ich da nicht recht gehabt, Herr Wachtmeister?«

»Hm, vielleicht, ja...«, murmelte Studer und beschäftigte sich eifrig mit dem eingespannten Folioblatt. Die Linien waren schief.

»Das hab' ich dem Armin auch gesagt, und ob er es hat übers Herz bringen können, daß sich der Vater für uns umbringt, hab' ich ihn gefragt... Da sagte er, sie hätten mit dem Vater ausgemacht, er solle sich nur anschießen, sich eine schwere Verletzung beibringen, dann bekäme er auch die Versicherung für Ganzinvalidität – sich ins Bein schießen zum Beispiel, sagte der Bruder, aber so, daß das Bein amputiert werden müsse... Das hat er gesagt, der Bruder...«

»Verrückt, idiotisch, hirnverbrannt!« flüsterte der Untersuchungsrichter, streckte die Arme aus, daß die Ärmel seines Rockes fast bis zu den Ellbogen rutschten, fuchtelte mit den Händen in der Luft herum. »Das ist ja... Was sagen Sie dazu, Studer?...«

»Locard, Doktor Locard in Lyon, Sie wissen, wen ich meine, Herr Untersuchungsrichter, schreibt in einem seiner Bücher – (und mein Freund, der Kommissär Madelin, zitierte diesen Ausspruch mit Vorliebe) – es sei ein Irrtum, zu glauben, es gebe normale Menschen. Alle Menschen seien mindestens Halbverrückte und diese Tatsache dürfe man in keiner Untersuchung vergessen ... Erinnern Sie sich vielleicht an den Fall jenes österreichischen Zahntechnikers, der sein Bein auf einen Spaltklotz legte und es mit einer Axt bearbeitete, bis es nur noch an einem Fetzen hing – nur um eine sehr hohe Unfallversicherung einzukassieren ...? Es gab damals einen großen Prozeß ...«

»Ja, ja«, sagte der Untersuchungsrichter. »In Österreich! Aber wir sind doch in der Schweiz!«

»Die Menschen sind überall gleich«, seufzte Studer. »Was soll ich schreiben?«

Stockend diktierte der Untersuchungsrichter, aber seine Sätze verfilzten sich derart, daß Studer Mühe hatte, diese Syntax zu entwirren ...

»Weiter, weiter! Fräulein Witschi!« Der Untersuchungsrichter wischte sich die Stirn mit einem kleinen farbigen Taschentuch, ein Duft von Lavendel schwebte durch den Raum ...

Sonja war verschüchtert. Sie hatte nicht verstanden, was da verhandelt wurde. Verrückt? dachte sie, warum verrückt? Wenn wir doch das Geld so notwendig gebraucht haben! ... Und dann erzählte sie weiter:

»Da fragt die Mutter ganz kalt: ›Wo sitzt der Schuß?‹ – Und der Armin antwortet genau so kalt: ›Hinter dem rechten Ohr.‹ Da nickt die Mutter, wie anerkennend: ›Das hat er gut gemacht, der Vater.‹ Aber dann war's vorbei mit ihrer Ruhe. Ich hab' die Mutter nie weinen sehen, auch damals nicht, als wir das ganze Geld verloren hatten. Sie hat immer nur geschimpft. Aber jetzt legte sie den Kopf auf den Tisch und ihre Schultern zuckten. ›Aber Mutter!‹ sagt der Armin. ›Es ist doch besser so!‹ – Da wird die Mutter bös, springt auf, läuft im Zimmer hin und her und sagt nur immer: ›Zweiundzwanzig Jahre! Zweiundzwanzig Jahre!‹ «

Man fühlte es, Sonja erlebte die ganze Szene noch einmal, sie sah alles vor sich. Ihre Lider waren gesenkt. – Lange Wimpern hatte das Mädchen ...

Studer träumte vor sich hin ... Also war das Bild, das er sich gemacht hatte, damals, als er die Mutter Witschi besucht hatte, doch falsch gewesen ... Er hatte den Tisch gesehen, die Leute darum: Anastasia Witschi redet auf ihren Mann ein, er solle kein Feigling sein ... Gewiß, das war sicher alles so gewesen. Er hatte nur einen Menschen zuviel am Tisch gesehen: Sonja.

Sonja wußte von nichts, man hatte ihr nichts erzählt, bis man sie vor eine vollendete Tatsache hatte stellen können ... Und auch dann hätte sie sich vielleicht geweigert, wenn ... wenn nicht die Romane gewesen wären:

»Unschuldig schuldig« hieß einer – Leute wie der Untersuchungsrichter hatten kein Verständnis für derartige Kompliziertheiten.

Kompliziertheiten? ...

Einfach war es! Überwältigend einfach!

Aber es schien, daß ein einfacher Fahnder solche Kompliziertheiten besser verstand als ein Studierter ... Sonja war zur Gegenpartei übergegangen ... Merkwürdig, es hatte damit begonnen, daß der Wachtmeister dem Mädchen die Tränen getrocknet hatte... Solche Dinge waren zart wie die Fäden, die im Altweibersommer durch die Luft fliegen; nachdenken durfte man über sie, aber von ihnen sprechen? Sicher, wenn man solches aussprach, bekam man das Zitat von Locard an den Kopf geschmissen... Mit Recht! Mit Recht!...

Merkwürdig, wie Stimmen sich verändern konnten! Sonjas Stimme war tief und ein wenig heiser, als sie weiter erzählte:

»Da sagt der Bruder: ›Du stehst ja gut mit dem Schlumpf. Ihr wollt euch ja sogar heiraten. Jetzt kann er zeigen, ob er dich wirklich gern hat. Du sagst ihm morgen, daß er sich verdächtig machen muß. Es muß so aussehen, als ob er den Mord begangen hätte... Bis wir die Versicherungen ausbezahlt bekommen haben... Dann werden wir schon sehen, daß wir ihn frei bekommen.‹ Ich hab' mich zuerst geweigert, aber nicht lange. Ich war ja so dumm. Ich hab' zuviel Romane gelesen. Und in den Romanen, da kommt ja immer vor, daß einer sich für eine Frau opfert, freiwillig ins Gefängnis geht, um sie nicht zu verraten. Wir haben dann noch alles besprochen. Ich sollte den Schlumpf am nächsten Abend aufsuchen, ihm die dreihundert Franken geben, dann sollte er in den ›Bären‹ und dort etwas trinken und eine Hunderternote wechseln. Der Bruder hat dann dem Murmann angeläutet...«

Das Telephon, von dem Murmann gesprochen hatte! Die unbekannte männliche Stimme! Es war wirklich alles konstruiert wie in einem Roman... Man müßte noch mit dem Armin reden... Und welche Rolle spielte der Coiffeurgehilfe in der ganzen Angelegenheit? Gerber hatte ein Motorrad; ob er wohl auch ein Auto lenken konnte? Sicher! Man müßte wissen, was Cottereau, der Obergärtner, beim alten Ellenberger, gesehen hatte, um von ein paar Burschen so übel behandelt zu werden ... Studer geriet mehr und mehr ins Träumen. – Der alte Ellenberger hatte eine Waffe gekauft ... Vielleicht doch zwei Schüsse? Hatte jemand beim Selbstmord nachgeholfen? ... Vielleicht Witschis Arm gehalten? ... Oder hatte Witschi daneben geschossen, und ein anderer ...

»Warum hast du dem Coiffeurgehilfen eigentlich den Füllfederhalter geschenkt?« fragte Studer in die Stille. Und dabei sah er den Gerber vor sich mit seinen allzu roten Lippen und mit seinem Mantel, der blaue Aufschläge trug.

»Er hat uns damals in der Nacht zusammen gesehen, den Schlumpf und mich«, sagte Sonja leise. »Und er hat gedroht, er erzähle es dem Statthalter, daß der Schlumpf unschuldig ist ...«

»Wann hat er Euch gesehen?« Ganz scharf stellte Studer die Frage.

»Am Unglücksabend, am Dienstag, um zehn Uhr, auf der andern Seite des Dorfes, gar nicht in der Nähe des Ortes, wo man den Vater gefunden hat ...«

»So«, sagte Studer. Dann vertiefte er sich wieder ins Schreiben. Der Untersuchungsrichter diktierte langsam. Studer kam gut nach ...

Aber es war dennoch ein mühseliges Tun. Der Untersuchungsrichter begann Fragen zu stellen, kreuz und quer, er wollte alles wissen, er bohrte und bohrte, es ging eine halbe Stunde, es ging eine ganze Stunde. Selbst Studer standen die

Schweißperlen auf der Stirn, und Sonja war nahe am Zusammenklappen. Nur der Bursche Schlumpf hielt sich aufrecht. Er stand an der Wand, er antwortete kurz und klar, wenn eine Frage an ihn gestellt wurde. Dabei schien er gar nicht übermäßig erfreut zu sein, daß er nun bald wieder die Freiheit würde genießen können. Studer verstand ihn so gut. Die Heldenrolle war ausgespielt – und der Bursche Schlumpf hatte sich gar nicht wie ein Romanheld benommen! Er hatte seine Unschuld beteuert, er hatte versucht, sich umzubringen ... Nein, er war durchaus keine leuchtende Gestalt ... Gott sei Dank, dachte Studer; er hatte nichts übrig für Helden. Er fand bei sich, daß es eigentlich gerade die Schwächen waren, die die Menschen liebenswert machten ...

Endlich, endlich war der Untersuchungsrichter fertig. Es war bei der ganzen Fragerei nichts Wichtiges mehr herausgekommen. Hätte man Sonjas Erzählung auf einer Platte aufgenommen, dachte Studer, so wäre der Eindruck lebendiger gewesen, richtiger als das trockene Protokoll in der indirekten Rede ... Sei's drum.

»Ich werde natürlich«, sagte der Untersuchungsrichter, nachdem er Sonja (»Du wartest auf mich, Meitschi«, hatte Studer ihr gesagt, »ich führ' dich heim ...«) und Schlumpf gnädigst entlassen hatte, »ich werde natürlich mit dem Herrn Staatsanwalt die Sache besprechen, und dann wird einer Haftentlassung des Schlumpf nichts im Wege stehen ...«

»Hüten Sie sich, das zu tun, Herr Untersuchungsrichter«, Studer drohte mit dem Finger und ein merkwürdiger Ausdruck saß in seinen Augen. »Lassen Sie den Herrn

Staatsanwalt vorläufig ganz aus dem Spiel. Sie brauchen doch Bestätigungen, Sie müssen doch zuerst den Bruder, die Mutter verhören. Sie müssen den Baumschulenbesitzer vorladen. Sie müssen Bestätigungen haben ...«

»Aber Studer, um Gottes willen, es ist doch ganz klar, daß es sich um einen Selbstmord handelt ...!«

Studer schwieg. Dann sagte er:

»Ich möchte gern den Autodieb sprechen ...«

»Ist das nötig?«

»Ja«, sagte Studer.

Der Untersuchungsrichter zuckte die Achseln, als wolle er andeuten, daß man sich allerhand gefallen lassen müsse. Aber er wollte doch einen kleinen Triumph haben, darum sagte er spitz:

»Sie haben vorhin Doktor Locard zitiert, nicht wahr? Aber... Sie...« Vor Studers Blick wußte der Untersuchungsrichter plötzlich nicht weiter. Aber der Wachtmeister sprach den Gedanken seines Gegenübers rücksichtslos aus:

»Sie meinen, ob ich selbst nicht auch ein Halbverrückter bin? Aber mein lieber Herr«, dem Untersuchungsrichter gab es ob dieser Anrede einen kleinen Ruck – diese Familiarität! – »wir haben alle einen Vogel im Kopf. Manche haben sogar eine ganze Hühnerfarm ...«

Der Untersuchungsrichter beeilte sich, auf die Klingel zu drücken ...

Der Autodieb

Er sah aus wie eine Kreuzung zwischen Dackel und Windhund. Vom Dackel hatte er die X-Beine und vom Windhund den nach vorne spitz zulaufenden Kopf. Übrigens hieß er Augsburger Hans, fünfmal vorbestraft. Ihm drohte die Versorgung.

Studer kannte ihn, obwohl Augsburger Hans mehr in anderen Kantonen seinem Beruf nachgegangen war – er war Einbrecher, aber ein vom Pech verfolgter, ein kleiner, mieser Dilettant – denn der Wachtmeister hatte ihn auf Anforderung fremder Behörden schnappen müssen ...

»Salü, Augsburger«, sagte Studer. Er stand von seinem Platz an der Schreibmaschine auf, ging auf den Eintretenden zu, schüttelte ihm die Hand. Der Polizist an der Tür zeigte ein leichtes Erstaunen, aber Augsburger ließ sich durch die herzliche Begrüßung nicht aus der Ruhe bringen.

»Eh, der Studer!« sagte er. »Grüß-ech, Wachtmeister!«

Dann zum Untersuchungsrichter gewandt:

»Der Wachtmeister ist nämlich ein Gäbige«, sagte der Augsburger. »Einer, mit dem man reden kann. Wachtmeister, habt Ihr eine Zigarette?«

»Ja, wenn du uns nicht anlügst!«

Und Studer blinzelte dem Untersuchungsrichter zu, er solle ihn das Verhör führen lassen. Der Untersuchungsrichter nickte, suchte auf seinem Tisch nach dem Aktendeckel »Augsburger Hans, Autodiebstahl« und reichte ihn dann Studer hin.

Studer blätterte. Nichts Interessantes. »Bei einem vorgeschriebenen Patrouillengang ... vor dem Bahnhof ... Fahrer angehalten ... kein Fahrausweis ... handelt sich um einen im Polizei-Anzeiger Ausgeschriebenen ... Leistete keinen Widerstand ... ließ sich abführ ...«

»Ist das Verzeichnis der Effekten, die dem Augsburger abgenommen worden sind, auch bei den Akten?« fragte Studer.

»Doch, ich glaube«, sagte der Untersuchungsrichter und spielte wieder mit seinem Papiermesser.

»Ah, ja, hier«, und Studer las:

»Portemonnaie mit 12.50 Fr. Inhalt.

1 Nastuch

1 Hemd

1 Paar Hosen ...«

Und dann stand da:

»1 Browningpistole Kaliber 6,5« ...

Was war das?

»Du, Augsburger, das ist bös. Waffentragen? Seit wann hast du einen Revolver? Willst du lebenslänglich erwischen? Hä?«

Aber Augsburger schwieg.

»Ich möcht' die Pistole gerne sehen«, sagte Studer.

Der Polizist brachte sie.

»Sie ist geladen«, sagte er.

Studer nahm sie in die Hand, entlud sie. Im Magazin waren noch sechs Patronen, eine im Lauf ...

»Hast du eine gebraucht, Augsburger?«

Augsburger schwieg andauernd. Nur die Haut auf der rechten Seite seines Gesichtes zuckte wie bei einem Pferd, das von den Bremsen geplagt wird.

»Nicht einmal geputzt, der Lauf?« Studer sprach immer gedehnter. Der Untersuchungsrichter wurde aufmerksam.

»Sechs Komma fünf«, sagte Studer und nickte. »Das gleiche Kaliber hat die Kugel auch, die in Witschis Kopf stecken geblieben ist ...«

»Aber Wachtmeister, wir wissen doch jetzt, daß es ein ...«

»Gar nichts wissen wir, Herr Untersuchungsrichter. Wir haben von einem Plan gehört, um auf möglichst rasche Weise zu Geld zu kommen, aber der Plan ist scheinbar nicht so gelungen, wie er hätte ausgeführt werden sollen.« Da Studer sah, daß Augsburger ihm eines seiner großen Ohren zugekehrt hatte, sprach er so dunkel als möglich.

»Ich denke immer an das, was mir der Assistent im Gerichtsmedizinischen vordemonstriert hat. Die Stellung, die der selige Witschi hat einnehmen müssen, um sich gerade hinter das rechte Ohr zu treffen ... Das Fehlen von Pulverspuren ... zugegeben, daß es möglich war mit Zigarettenblättern, ich glaub' es nicht recht, es steckt mehr hinter dem Fall, als wir glauben.«

Studer schwieg unvermittelt. Augsburger hatte die Augen gesenkt.

»Wo warst du die letzten vierzehn Tage?« fragte er plötzlich.

»In ... in ...«

»Da, nimm eine Zigarette«, sagte Studer freundlich. Es dauerte eine Weile, bis sie brannte.

»Schau, Augsburger«, erklärte Studer milde. »Wenn du nicht nachweisen kannst, wo du in der Nacht warst, in der ein gewisser Wendelin Witschi ermordet worden ist, so kann ich dir nur eines sagen: Ich... Aber nein, ich habe dann gar nichts mehr mit dir zu tun. Das Schwurgericht wird dann schon wissen, was es zu tun hat. Es war nämlich ein Raubmord...«

»Aber den hat der Schlumpf doch gestanden!« rief Augsburger.

»Und hat soeben sein Geständnis widerrufen, vielmehr, ich hab' ihm bewiesen, daß er unmöglich den Mord hat begehen können. Und dann hat sich noch ein Zeuge gefunden, der beschwört, mit dem Schlumpf zur mutmaßlichen Zeit des Mordes zusammengewesen zu sein.«

»Dann hat er mich angelogen!« sagte Augsburger böse.

»Wer?«

»Der alte Ellenberger.«

»So, und warum hast du in der Samstagnacht das Auto vom Gemeindepräsidenten gestohlen?«

»Es war zu heiß in Gerzenstein«, sagte Augsburger, aber die Unbekümmertheit klang ein wenig gedrückt.

»Und warum bist du gerade auf den Bahnhofplatz gefahren, wo du doch ganz sicher warst, daß ein Polizist dich schnappt?«

»Ich hab mich verirrt, ich wollt nach Interlaken weiterfahren...«

»Und da bist du durch die Stadt gefahren, wo doch jedes kleine Kind weiß, daß die Straße oben durchfährt?«

»Ich hab' noch etwas trinken wollen...«

Immer zögernder die Antworten.

»Und wo hast du den Browning gestohlen?«

»Den Browning?« Augsburger begann die Fragen zu wiederholen, das war ein gutes Zeichen, Studer wußte, nun hatte er ihn bald. »Den Browning?« Dann sehr schnell:

»Der ist beim alten Ellenberger auf dem Schreibtisch gelegen, dort hab ich ihn genommen ...«

»Hm.« Studer schwieg. Es schien zu stimmen. Der alte Ellenberger hatte vor vierzehn Tagen in Bern einen 6,5-mm-Browning gekauft. War es dieser? Den andern hatte der Armin verstecken lassen in der Küche der Frau Hofmann, verstecken durch wen? Das war im Augenblick gleichgültig.

»Du hast beim Ellenberger gewohnt?« fragte Studer wieder.

»Ja.« Augsburger nickte ein paarmal.

»In welchem Zimmer?«

»Oben unter dem Dach.«

»Warum hat dich der Ellenberger aufgenommen?«

»Oh, nur so, aus Mitleid.«

»Hast du die andern gesehen?«

»Selten. Der alte Ellenberger hat mir immer das Essen gebracht.«

»Und er hat dir gesagt, du sollst das Auto vom Gemeindepräsidenten stehlen, dich in Thun erwischen lassen und dann versuchen, den Schlumpf zu bestimmen, ein Geständnis abzulegen?«

»Wie? Was?« fragte Augsburger. Er schien ehrlich erschrocken, und doch kam es Studer je länger je mehr vor, als ob der Bursche ein eingelerntes Theater spiele.

»Du hast doch dem Schlumpf gesagt, er solle sich gestern zum Verhör melden, und dann dem Untersuchungsrichter sagen, er habe den Witschi umgebracht. Und du hast ihm doch einen sehr zwingenden Grund für dieses Geständnis angeben müssen. Ihm zum Beispiel sagen, man habe entdeckt, daß mit dem Mord nicht alles stimme, daß man an einen Selbstmord glaube und daß die ganze Familie in Gefahr sei, wegen Versicherungsbetrug verhaftet zu werden. Und daß es deshalb am besten sei, wenn der Schlumpf die Sache auf sich nehme. War's so? Das darfst du ruhig zugeben, wenn's so gewesen ist. Wir brauchen nur den Schlumpf zu fragen.«

»Das hätten wir vorher machen sollen«, sagte der Untersuchungsrichter seufzend. »Aber Sie sind immer so stürmisch, mein lieber Studer, ich komme gar nicht zu Worte.«

»Sie haben selbst gar nicht daran gedacht!« antwortete Studer kurz. »Aber wir können den Schlumpf ja immer noch holen lassen. Eine Konfrontation ... Doch bevor wir zu dieser Konfrontation schreiten, habe ich dem Mann da noch ein paar Fragen zu stellen.«

Er schwieg und dachte nach.

»Der Revolver ist bei dir gefunden worden, Augsburger, du wirst nie beweisen können, daß du ihn vom Schreibtisch des alten Ellenberger fortgenommen hast. Das ist dir doch klar, oder? Ellenberger wird es aber leugnen. Du wirst nicht beweisen können, daß du in der Nacht vom Dienstag auf den Mittwoch im Bett gelegen bist. Oder wird der alte Ellenberger dir das bestätigen können?«

»Ich – ich glaub' schon.«

»Gut. Also wer hat dir den Auftrag für den Schlumpf gegeben? Red' doch.«

»Der – der Armin Witschi ...«

»Und du hast sagen sollen, der Auftrag käme von seiner Schwester?«

»Ja.«

»Hast du allein mit ihm gesprochen? Mit dem Armin mein' ich?«

»Ja, es war niemand anderer dabei.«

»Woher hast du ihn gekannt?«

»Oh, so ... Ich hab ihn gesehen ... Früher schon.«

»Ich hätte gerne noch das gestohlene Auto gesehen; aber vielleicht hat es der Herr Gemeindepräsident schon geholt?«

»Ja, gestern.« Der Untersuchungsrichter nickte.

»Desto besser!« meinte Studer. »Sobald ich Neues weiß, berichte ich Ihnen. Übrigens, Sie können den Schlumpf wieder in eine Einzelzelle tun. Er wird nicht mehr probieren, sich aufzuhängen ... Wiederluege mitenand!«

Das »Mitenand« bereitete Studer eine besondere Freude.

Er lachte noch still, als er den Gang entlangging, um Sonja abzuholen.

Besuche

Sonjas Hände lagen auf Studers Schultern. Er fand diese Berührung angenehm. Auch hatte es aufgehört zu regnen, der Himmel war weiß. Die Brise wehte kalt, aber Studer fuhr mit dem Wind, da schadete es nicht viel. Ein guter Karren, den sich der Landjäger Murmann da zugelegt hatte. Er machte nicht viel Lärm. Wenn Studer auf die schwarze Asphaltstraße herniedersah, wurde sie von weißen Strichen gemustert. Es wäre alles gut und schön gewesen, aber der Wachtmeister fühlte sich nicht im Blei. Der Kopf schmerzte ihn, außerdem machte sich auf der rechten Seite der Brust, ziemlich weit unten, ein stechender Punkt bemerkbar. Bei der ersten Wirtschaft stoppte Studer, trat ein und bestellte einen Grog. Es war seine Universalmedizin.

»Von wo ist schon die Saaltochter?« fragte er, und die Worte kamen ein wenig schleppend aus seinem Mund.

»Welche Saaltochter?« fragte Sonja.

»Die vom ›Bären‹. Die Freundin von deinem Bruder.«

»Von Zägerschwil. Warum Wachtmeister?«

»Zägerschwil? Ist das weit?«

»Nicht gerade sehr weit«, sagte Sonja. Aber die Wege seien schlecht. Es sei so ein Krachen im Emmental. Auf einem Hügel...«

– Woher sie das wisse? – Armin habe einmal davon erzählt, er sei mit der Saaltochter an einem ihrer freien Tage oben gewesen. – Ja, ob der Armin denn das Meitschi heiraten wolle, es sei doch viel älter als der Bruder. Oder? – Das schon, aber die Eltern hätten Geld – und das Berti habe Erspartes. Armin sei schon ein paarmal bei den Eltern gewesen.

»Wollen wir die Eltern besuchen gehen?« fragte Studer und bestellte noch einen Kaffee-Kirsch. Man mußte sich stärken. Der stechende Punkt verschwand langsam, das Kopfweh hob sich ab und schwebte durch die Luft davon wie eine leichte Kappe, die der Wind fortweht.

»Was wollt ihr dort?« fragte Sonja.

»Du Dumms! Den Armin besuchen. Ich muß ihn doch ein paar Sachen fragen.«

»Meint ihr, er sei ...«

»Wo soll er sonst sein? Einen Paß hat er nicht, er ist nicht ins Ausland, vor der Stadt hat er Angst, stimmt's?«

Sonja nickte schweigend.

»Dann bleiben also nur die zukünftigen Schwiegereltern. Wie heißen sie?«

Sie hießen Kräienbühl. Warum auch nicht? Berta Witschi-Kräienbühl, das klang gut, das klang solid. Solider als Witschi-Mischler. Es hing wohl sehr vieles von den Namen ab. Studer riß sich zusammen. Was dachte er da für sturms Züüg zusammen. Er griff verstohlen mit der linken Hand an den Puls der Rechten. Ein wenig Fieber sicher. Aber jetzt konnte man sich eben nicht zu Bett legen. Zuerst mußte der Tod dieses Witschi Wendelin aufgeklärt werden. Da gab's ke Bire ... Witschi-Kräienbühl oder Kräienbühl-Witschi. Einerlei! Nur los. Der Kaffee war gut, sollte man noch einen trinken? Gut. Und Studer trank einen zweiten Kaffee.

Sonja tunkte ein Weggli in ihr Glas, sie aß; natürlich, so ein Meitschi mußte ja Hunger haben.

Sollte man sie zuerst heimfahren? Aber daheim bekam sie doch kein warmes Mittagessen.

»Hast Hunger, Sonja?« fragte Studer. »Wenn du was essen willst, sag's nur! Ein Schinkenbrot?« Sonja schüttelte den Kopf.

»Später«, sagte sie.

Kräienbühl-Mischler, Aeschbacher-Ellenberger, Gerber-Murmann ... Halt! Wie hieß die Frau des Landjägers mit dem Mädchennamen? Studer probierte so viele Kombinationen durch, daß ihm ganz sturm wurde. Er stand auf.

»Los, gehen wir.« Er hatte Mühe, das Wechselgeld von der Tischplatte aufzuklauben. Aber Sonja half ihm. Es ging.

Und es ging auch weiter gut, sobald er auf dem Sattel von Murmanns Karren hockte. Sonja dirigierte. Es kamen scheußliche Wege, mit tiefen Furchen, der Karren hopste wie bei einer Springkonkurrenz. Studer kam es vor, als fahre er in einem Traum.

Endlich, eine letzte Steigung (von Bangerten aus hatte sich Studer nach dem Weg erkundigen müssen) und sie waren da.

Ein großes Gehöft. Ein altes Einfahrtstor. Es war still. Kein Mensch zu sehen. Studer ging über den Hof, die Tür zur Küche war angelehnt, er klopfte.

»Ja!« rief eine ungeduldige Stimme.

»Grüeß di, Armin«, sagte Studer freundlich. »Die Sonja ist auch mitgekommen.«

Er sah ein wenig zerzaust aus, der Armin Witschi. Die Wellen seiner Haare schichteten sich nicht mehr so triumphierend über der niederen Stirne auf wie früher.

»Der Wachtmeister!« stotterte er.

»Pst!« machte Studer und legte einen Finger auf die Lippen. »Es braucht nicht jedermann zu wissen, daß die Polizei dich besucht. Es ist nur ein Freundschaftsbesuch, weißt, du kannst ruhig da oben bleiben, bis alles sich beruhigt hat. Hört uns niemand?« fragte Studer plötzlich.

Armin schüttelte den Kopf. Jetzt, da er allein war, schien er gar nicht mehr so frech. Kein höhnisches Lächeln war auf seinen Lippen zu sehen. Er war ein gewöhnlicher, ängstlicher Bub, der nur die eine Sehnsucht zu haben schien, eine unangenehme Geschichte so bald als möglich los zu sein.

»Warum bist du fortgelaufen? Weißt, ich hab es gleich gewußt, schon gestern Nachmittag, wie dir die Berta gewunken hat, von der offenen Tür. Aber wozu hast du fünfhundert Franken gebraucht? Hier kannst du doch nichts ausgeben?«

– Er habe weiter wollen, sagte Armin. Weit fort. Er wäre schwarz über die Grenze gegangen nach Paris; dort habe er einen Freund, der hätte ihm dann schon einen Paß besorgt. – Wo denn die Kraienbühls seien? – Beim Bohnensetzen, glaube er, sagte Armin. – Gut! meinte Studer. Das, was er wissen wolle, sei mit ein paar Worten gesagt.

Der Wachtmeister zog sein Notizbuch aus der Tasche. Dabei fühlte er, daß sein Herz hart und sehr schnell schlug – aber es war nicht der Fall Witschi, der dem Wachtmeister Herzklopfen verursachte.

»Die Schwester hat schon alles erzählt. Wir wollen schauen, ob wir das mit dem Versicherungsbetrug einrenken können, denn um einen solchen wird es sich wahrscheinlich handeln, wenn ... Eben wenn. Aber du mußt mir jetzt klare Auskunft geben: Was hast du damals mit deinem Vater ausgemacht?«

Und Armin Witschi gab anstandslos Auskunft. Er war sehr zahm, schier zu zahm. Aber das war eben immer so bei derartigen Charakteren, dachte Studer. Sie trumpfen auf, wenn sie in Gesellschaft sind, aber wenn man unter vier Augen mit ihnen spricht, so geben sie klein bei ...

Der Vater habe sich lange geweigert, einen Unfall vorzutäuschen. Aber schließlich, als der Ellenberger kein Geld mehr geben wollte, als ihnen das Wasser fast an den Mund gestiegen war, da war schließlich der Vater einverstanden gewesen.

Er sollte sich ins Bein schießen, dann warten, bis er, Armin, den Revolver versteckt habe, und dann schreien. Sicher würde jemand kommen, die Baumschulen vom Ellenberger seien ganz in der Nähe des Platzes gewesen, den sie ausgesucht hätten, und dann solle der Vater behaupten, er sei überfallen worden, beraubt.

»Wir haben gemeint, am besten wird es sein, die Sache« (›die Sache!‹ sagte Armin) »am späten Abend zu machen. Dann kann der Vater seine Geschichte erzählen und die Leute werden ihm auch glauben, daß er seinen Angreifer nicht gesehen hat. Dann gibt's kein lästiges Gefrage, der Verdacht fällt auf alle Arbeiter des Ellenberger; und die sind ja vorbestraft. Aber es kann ja keinen treffen, denn sie werden ihre Unschuld beweisen können; die Sache wird niedergeschlagen, und die Versicherung zahlt uns das Geld...«

»Hm«, brummte Studer. »Aber dann ist es anders gegangen?«

»Wir haben einen Abend festgesetzt, an dem der Vater mit etwas Geld hat heimkommen müssen und haben sogar davon erzählt, das heißt, der Vater hat beim Ellenberger davon gesprochen, während die Arbeiter dabei waren. Das haben wir so ausgemacht. Der Vater hatte einen Browning.«

»Von wem?«

»Der alte Ellenberger hat ihn in der Stadt gekauft...«

»Ist das sicher?«

»Ja. Der alte Ellenberger hat um die Geschichte gewußt. Auch der Onkel Aeschbacher.«

»So?«

»Die Mutter hat's ihm erzählt. Er war doch ein Verwandter von ihr.«

»Und Gemeindepräsident...«, sagte Studer leise und wiegte den Kopf hin und her, wie ein alter Jude, dem plötzlich die Bedeutung eines dunklen Talmudsatzes klar geworden ist.

»Ja. Der Vater hat den Browning probiert, Zigarettenblätter in den Lauf geschoppt, bis er gewußt hat, wie man es zu machen hat, daß es keine Pulverspuren gibt. Also, an dem Abend hab' ich ihm abgepaßt. Von zehn Uhr an. Ich hab' das ›Zehnderli‹ vom Vater gehört, er ist abgestiegen, wie wir es vereinbart hatten, er hat mich gesehen, und mir noch zugewunken, hat neben das Rad seine Brieftasche, seine Uhr, seinen Füllfederhalter...«

»Parker Duofold«, sagte Studer, mit der Stimme eines anpreisenden Verkäufers.

»Richtig. Und dann ist er in den Wald gegangen. Es hat lange gedauert, bis ich den Schuß gehört habe. Und dann war es nicht einer, sondern zwei. Das hat mich gewundert. Denn die Schüsse sind kurz hintereinander gefallen. Ich kam nicht recht draus. Wenn er sich mit dem ersten nicht verwundet hatte, so war es doch eine Dummheit, noch einmal zu schießen, denn das zweite Mal hätte er doch wieder Zigarettenblättli in den Lauf schoppen müssen, und das ging doch eine Weile.«

Schweigen. Sonja seufzte kurz auf, zog ihr verknäueltes Taschentuch hervor und wischte sich die Augen. Studer legte seine Hand über die Hand des Mädchens.

»Nicht weinen, Meitschi«, sagte er. »Es ist wie beim Zahnarzt, nur wenn er die Zange ansetzt, spürt man's, nachher geht's von selbst.« Sonja mußte ein wenig lächeln.

Im Küchenofen knackte das Holz, von dem Deckel, der eine Pfanne bedeckte, fielen Tropfen auf die Herdplatte und zischten leise. Der Wachstuchüberzug des Tisches, an dem die Drei saßen, fühlte sich speckig und kalt an. Durch die offene Tür sah man ein einsames Huhn, das vergebens versuchte, die Pflastersteine wegzukratzen. Es war sehr emsig, das kleine weiße Huhn, und sehr still ...

»Ich ging dann in den Wald. Ich hab den Vater gesucht. Wir hatten den Platz ausgemacht, damit ich nicht zu lange nach dem Revolver zu suchen brauchte. Endlich hab' ich den Vater gefunden. Er lag an einer ganz anderen Stelle.«

»An einer andern Stelle? Bist du sicher?«

»Ja, wir hatten eine große Buche als Treffpunkt ausgemacht, aber er lag etwa dreißig Meter davon entfernt unter einer Tanne.«

»Ja, unter einer Tanne. Und das war ein Glück ...« sagte Studer leise.

»Warum ein Glück?« fragte Sonja mit erstickter Stimme.

»Weil ich sonst nicht hätte merken können, daß auf der Kutte des Vaters keine Tannennadeln waren.«

Die beiden blickten ihn erstaunt an, aber Studer winkte ab. Der stechende Punkt in der Brust meldete sich wieder, sein Kopf war heiß. Nur jetzt keine Erklärungen geben müssen! ...

»Er lag unter der Tanne und hatte einen Schuß hinter dem rechten Ohr. Ich hab's gesehen, weil ich eine Taschenlampe mitgenommen hatte. Der Revolver lag neben seiner Hand.«

»Der rechten oder der linken?«

»Wart, Wachtmeister, ich muß nachdenken. Die Arme waren ausgestreckt, zu beiden Seiten des Kopfes, und der Browning lag in der Mitte ...«

»Das bringt uns nicht weiter«, sagte Studer.

»Ich hab die Waffe aufgelesen und bin heim. Unterwegs hab ich mir dann überlegt, was wir machen sollen. Der Vater war tot. Vielleicht war das besser für ihn. Ich wußte, daß der Onkel Aeschbacher nur eine Gelegenheit abpaßte, um den Vater nach Hansen oder Witzwil zu versorgen.«

»Hast du die Brieftasche und die andern Sachen gleich aufgehoben, nachdem sie der Vater abgelegt hat?«

»Nein, nicht gleich. Es ist nämlich etwas dazwischengekommen. Ich hab ein Auto näherkommen hören ...«

»Von wo kam das Auto, vom Dorf oder von der andern Richtung?«

»Vom Dorf, glaub ich.«

»Glaub ich! Glaub ich! Weißt du das nicht sicher?«

»Nein, denn wie ich's gehört hab, bin ich tiefer in den Wald...«

»Bist du auf der Seite gestanden, auf der dein Vater in den Wald ist oder auf der anderen?«

»Auf der anderen, ich hab dann noch die Straße überqueren müssen.«

»Und da war kein Auto mehr da?«

»Nein. Aber es ist etwas Merkwürdiges mit dem Auto losgewesen. Es ist ganz langsam gefahren, das hab ich am Geräusch vom Motor gehört, die Scheinwerfer haben die Straße beleuchtet, und auch den Wald, von weither, und ich hab mich auf den Boden geworfen, um nicht gesehen zu werden. Die Straße macht oben und unten von der Stelle einen Rank, so daß man nicht genau wissen kann, aus welcher Richtung ein Karren kommt«, fügte Armin entschuldigend hinzu.

»Und?«

»Ja, plötzlich ist das Licht von den Scheinwerfern ausgegangen, ich hab den Motor nicht mehr gehört. Ich hab gewartet eine Zeitlang, dann bin ich langsam näher zur Straße gekrochen. Aber da war das Auto verschwunden.«

Der alte Ellenberger besaß eine Camionette zum Transport seiner Hochstämme. Der Ellenberger hatte die Prämien der Lebensversicherung bezahlt...

»Und dann hast du die Sachen, die dein Vater am Waldrand niedergelegt hatte, aufgehoben und bist heimgegangen?«

»Ja.« Armin nickte.

»Willst du mich nach Bern begleiten, Meitschi?« fragte Studer. »Ich glaub, wir haben hier alles erfahren, was nötig war.« Er zog seine Uhr. »Um Zwei werden wir wohl dort sein. Wir können dann bei mir daheim essen. Und dann wartest du bei uns zu Hause auf mich. Ich führ dich dann heut abend wieder heim. Apropos, wer hat den Revolver bei der Frau Hofmann versteckt? Der Gerber? Ich hab's gedacht ...«

Mikroskopie

Es war etwa zehn Uhr abends, als bei Dr. med. Neuenschwander (Sprechstunden 8–9) die Nachtglocke schellte. Der Arzt war ein großer, knochiger Mann, Ende der dreißiger Jahre, mit einem langen Gesicht und ziemlich weit im Umkreis bekannt und beliebt. Er hatte die merkwürdige Angewohnheit, den reichen Bauern sehr hohe Rechnungen zu stellen. Dafür vergaß er manchmal bei anderen Leuten eine Zwanzigernote oder einen Fünfliber auf dem Küchentisch. Wenn er dabei erwischt wurde, konnte er sehr böse werden.

Als er die Glocke schellen hörte, saß er in Hemdsärmeln an seinem Schreibtisch. Er ging im Geiste die Patienten durch, die ihn vielleicht brauchen könnten, aber er konnte sich auf keinen schweren Fall besinnen.

»Vielleicht ein Unfall«, murmelte er. Dann ging er öffnen.

Ein fester Mann in einem blauen Regenmantel stand vor der Tür. Sein Gesicht war nicht recht zu sehen unter dem breitrandigen, schwarzen Filzhut.

»Wa isch los?« fragte der Doktor ärgerlich. – Ob der Herr Doktor ein Mikroskop habe? – Ein was? – Ein Mikroskop. – Doch. Das habe er schon. Aber wozu? Jetzt in der Nacht? Ob das nicht Zeit habe bis morgen? – Nein.

Der Mann im blauen Regenmantel schüttelte energisch

den Kopf. Dann stellte er sich vor: Wachtmeister Studer von der Fahndungspolizei.

»Chömmed iche«, sagte der Doktor und führte den späten Besuch kopfschüttelnd in sein Sprechzimmer.

»Fall Witschi?« fragte Neuenschwander lakonisch.

Studer nickte.

Der Doktor nahm den hellen Kasten vom Schrank, in dem er sein Mikroskop versorgte, stellte ihn auf den Tisch, ging an den Wasserhahnen, wusch ein Glasplättchen, tauchte es in Alkohol, rieb es ab . . .

Studer hatte ein Kuvert aus der Tasche gezogen. Er schüttete vorsichtig eine winzige Menge des Inhalts auf das Glasplättchen, ließ einen Wassertropfen darauffallen, legte ein zweites, noch viel dünneres Plättchen darauf.

»Färben?« fragte Dr. Neuenschwander.

Studer verneinte. Sein Kopf war feuerrot, von Zeit zu Zeit drang ein sehr unerfreuliches Krächzen aus seinem Hals, seine Augen waren richtig blutunterlaufen. Der Arzt besah sich den Wachtmeister, kam näher, setzte eine Hornbrille auf die Nase, besah sich Studer noch eingehender, griff dann schweigend nach dessen Handgelenk und sagte trocken:

»Wenn Ihr dann fertig seid, will ich Euch noch untersuchen. Ihr gefallt mir gar nicht, Wachtmeister, aber wirklich kes bitzli.«

Studer stieß ein heiseres Gekrächz aus, hustete – es war ein peinlicher Husten.

»Ihr macht an einer Pleuritis herum. Ins Bett, Mann, ins Bett!«

»Morgen!« ächzte Studer. »Morgen nachmittag, wenn

Ihr wollt, Herr Doktor. Aber ich hab noch soviel zu tun... Eigentlich, das Wichtigste ist ja gemacht, und wenn das hier...«

Studer stellte das Mikroskop zurecht, so, daß das Licht der sehr hellen Schreibtischlampe in den kleinen Spiegel fiel und beugte sich dann über das Okular.

Seine zitternden Finger drehten an der Schraube, aber es gelang ihm nicht, die richtige Einstellung zu finden. Einmal schraubte er so lange, daß der Doktor dazwischenfuhr:

»Ihr zerbrecht noch das Plättli!« sagte er ärgerlich.

»Stellt Ihr ein, Doktor«, sagte Studer ergeben. »Das verfluchte Zittern!«

»Was wollt Ihr denn so Wichtiges finden?«

»Pulverspuren«, ächzte Studer.

»Aaah!« sagte Dr. Neuenschwander und begann an der Schraube vorsichtig zu drehen.

»Deutlich«, sagte er schließlich und richtete sich wieder auf. »Ich bin zwar kein Gerichtschemiker, aber ich erinnere mich von früher. Da, seht, Wachtmeister, die großen Kreise sind Fettropfen und in den Fettropfen könnt ihr die gelben Kristalle sehen. Es stimmt wohl. Ob's aber zu einem gerichtlichen Beweis langen wird?«

»Das wird's wohl nicht brauchen«, sagte Studer mühsam. »Und verzeiht, Herr Doktor, daß ich Euch so spät noch gestört hab...«

»Dumms Züg!« sagte Dr. Neuenschwander. »Aber Ihr müßt noch sagen, wo Ihr den Staub da«, er deutete mit dem Zeigefinger auf das Kuvert, »gefunden habt. Halt, nicht reden jetzt. Zuerst Kittel ausziehen, Hemd, dann legt Ihr Euch dort auf das Ruhebett, damit ich ein wenig hören kann, was in Eurer Brust los ist. Und dann geb' ich Euch etwas für diese Nacht.«

Dr. Neuenschwander horchte, klopfte, klopfte, horchte. Besonders schien ihn die Stelle zu interessieren, an der Studer den stechenden Punkt spürte. Er steckte dem Wachtmeister ein Fieberthermometer in die Achselhöhle, betrachtete nach einiger Zeit kopfschüttelnd den Stand der dünnen Quecksilbersäule, sagte bedenklich: »Achtunddreißig neun!« Er prüfte noch einmal den Puls, brummte etwas, das klang wie: »Natürlich, Brissago!« und ging dann an einen Glasschrank. Während er die kleine Spritze aus einer Ampulle füllte, sagte er:

»Also, Wachtmeister, sofort ins Bett. Ich geb Euch da ein paar ganz starke Sachen. Wenn Ihr ordentlich schwitzt die Nacht, so könnt Ihr morgen noch zu Ende machen. Aber auf Euer Risiko, verstanden? Und wenn Ihr dann mit Euerm G'stürm fertig seid, so seid Ihr reif fürs Spital. Ich würd dann an Eurer Stelle ein Auto nehmen und direkt hinfahren. Könnt noch froh sein, daß es eine trockene Brustfellentzündung ist. Aber es kann schon noch böser kommen. Und jetzt möcht ich wirklich gern wissen, warum Ihr mich so spät noch um ein Mikroskop angegangen habt. Wartet noch!« Er schüttete aus etlichen Gutteren verschiedene Flüssigkeiten in ein Glas, füllte heißes Wasser nach und ließ Studer trinken. Es schmeckte gruusig. Studer schüttelte sich. Dann bekam er noch eine Einspritzung, durfte sich wieder anziehen, wollte aufstehen.

»Liegen bleiben!« schnauzte ihn der Arzt an.

Und Studer blieb liegen. Die Lampe auf dem Schreibtisch hatte einen grünen Blechschirm. Dicke Bücher standen auf den Regalen an der Wand. Im Raum roch es nach Apotheke. Studer lag auf dem Rücken, die Hände hatte er im Nacken verschränkt.

»Also?« fragte der Doktor.

Studer atmete tief. Es war das erste Mal an diesem Tage, daß er wieder so richtig tief atmen konnte.

»Die Pulverspuren«, sagte er, »sie waren das letzte Glied, wie es so schön in den Romanen heißt. Ich hätt' es eigentlich nicht gebraucht. Denn es war schon vorher alles klar...«

Und er erzählte von der Fahrt nach Thun, von Sonjas Aussage, vom Besuche bei Armin Witschi, von der Fahrt nach Bern.

»Ich hab heut schon einmal mikroskopiert«, sagte er und lächelte gegen die Decke, dicke Schweißtropfen liefen ihm übers Gesicht, hin und wieder fuhr er sich mit dem Handrücken über die Stirn. »Und wissen Sie, Doktor«, Studer sprach plötzlich hochdeutsch, aber diesmal war es nicht irgendein Ärger, der ihn den heimatlichen Dialekt vergessen ließ, es war eher das Fieber, »die Kugel, die im Kopfe des Herrn Wendelin Witschi gefunden worden ist – und Herr Wendelin Witschi war nach der Aussage von Dr. Giuseppe Malapelle vom Gerichtsmedizinischen Institut in Bern eine Alkoholleiche mit über 2 pro Mille im Blut, – die Kugel also sie stammte aus dem Revolver, den ich bei dem Einbrecherdilettanten Augsburger heute morgen gefunden habe.« Studer kicherte wie ein Schulbub. »Wenn der Untersuchungsrichter wüßte, daß ich ihm den Revolver gestaucht habe! Guter Kerl, der Untersuchungsrichter, aber jung! Und wir so alt! Nicht wahr, Doktor? Uralt. Wir verstehen alles, wir müssen alles verstehen. Wie hat die Frau Hofmann gesagt? Richtet nicht, auf daß ihr nicht gerichtet werdet! Sehr richtig! Ausgezeichnet! Wer hat das schon gesagt? Ich weiß es nicht mehr. Und dann war doch die Frage leicht zu lösen, woher der Revolver stammte. Aber das verrät der Studer nicht. – Es ist so heiß bei Ihnen, Herr Doktor, haben Sie im Mai auch geheizt? Wie der Untersuchungsrichter? Ich hab einmal einen großartigen Traum gehabt, von einem Daumenabdruck, von einem riesigen Daumenabdruck. Sie sind doch kein Daumendeuter, eh ... Traumdeuter, Herr Doktor? Ich habe einmal einen Fall bearbeiten müssen, der spielte in einem Irrenhaus. Und da hab ich es mit einem Herrn zu tun gehabt, der war – warten Sie einmal, wie heißt das schon? – ja, der war Psychoanalytiker. Er deutete die Träume und konnte Ihnen dann ganz genau sagen, was mit Ihnen los war. Ist gestorben, der Herr Analytiker, seine ganze Traumdeutung hat ihm nichts genützt. Aber was wollte ich Ihnen erzählen? Es geht alles durcheinander ... – Sie haben wissen wollen, wo ich den Pulverstaub gefunden hab? Warten Sie noch ... – Kennen Sie den Cottereau? Den Obergärtner? Ja? Was halten Sie von dem Mann? Ein wenig greisenhaft vertrottelt, hab ich nicht recht? Er wußte etwas, aber ein paar Burschen haben ihn verprügelt. Er hat ihn gesehen, denjenigen, welchen ... Ich will seinen Namen nicht nennen. Er hat ihn gesehen an jenem Abend, oder wenn Sie lieber wollen, in jener Nacht. Wann endet eigentlich der Abend und wann beginnt die Nacht? Können Sie mir das definieren, Herr Doktor? ... – Sie kennen doch die Taschen an den Seitentüren der Autos, dort, wo man gewöhnlich die Landkarte versorgt? Den Staub dort, den hab ich aus so einer Tasche herausgekratzt. Das letzte Glied, Herr Doktor, der Wachtmeister Studer hat sich nicht blamiert. Aber der Wachtmeister Studer hat keine Ahnung, wie die ganze Geschichte ausgehen wird. Keine Ahnung! Denken Sie! ... Ich will schlafen«, sagte plötzlich Studer. Er schloß den Mund, die runzligen Lider fielen ihm über die Augen, er tat einen tiefen Seufzer.

»Armer Kerl!« sagte Dr. Neuenschwander. Er ging einen Nachbarn holen. Zu zweit trugen sie Studer ins Gastzimmer, zogen ihn aus und deckten ihn ordentlich zu. Neuenschwander füllte noch eine Bettflasche mit heißem Wasser, legte sie an Studers Füße, die eiskalt waren. Er ließ die Zimmertüre offen und ging zurück an seinen Schreibtisch. Dort las er bis gegen ein Uhr. Alle Stunden sah er nach dem Wachtmeister. Der mußte schwere Träume haben. Er murmelte oft, fast immer die gleichen Worte:

»Mikroskop«, war zu verstehen, »Daumenabdruck«. Und noch ein Mädchenname: »Sonja«.

Um vier Uhr stand Dr. Neuenschwander noch einmal auf. Studers Temperatur war auf siebenunddreißig gefallen.

Der Fall Wendelin Witschi zum letztenmal

Ein trübes Begräbnis.

Natürlich regnete es wieder. Im Lättboden des Friedhofs füllten sich die Fußstapfen, kaum daß man den Schuh aus der zähen Erde gezogen hatte, mit gelbem Wasser. Wendelin Witschis Grab war nur von zehn Regenschirmen umstanden, und die Tropfen, die auf die zehn gespannten schwarzen Tücher fielen, trommelten einen leisen, traurigen Wirbel.

Der Pfarrer machte es kurz. Sonja schluchzte. Frau Witschi stand aufrecht neben ihrer Tochter. Sie weinte nicht. Armin war nicht gekommen. Nach dem Pfarrer sprach der Gemeindepräsident Aeschbacher ein paar Worte. Sie machten ihm sichtlich Mühe.

Studer stand neben Dr. Neuenschwander und war froh, daß er sich auf den Arm des Arztes stützen konnte. Aber als nun alle langsam auf das Friedhofstor zuschritten, machte sich Studer von seinem Begleiter los, holte den Gemeindepräsidenten ein und sagte:

»Herr Gemeindepräsident, ich sollt' mit Euch reden.«

»Mit mir, Wachtmeister?«

»Ja«, sagte Studer.

»So kommt!«

Aeschbachers Auto stand auf der Straße. Der Gemeindepräsident öffnete den Schlag, zwängte sich auf den Sitz vor das Steuerrad, winkte Studer. Der Wachtmeister stieg ein. Er schüttelte dem Arzte zum Abschied die Hand, dann schlug er selbst den Schlag zu.

Es war wenig Platz vorhanden, denn beide waren sie nicht gerade mager. Aeschbacher drückte auf den Anlasser. Studer starrte auf die Tasche, die am Wagenschlag angebracht war.

Aeschbacher schwieg. Das Auto kehrte, fuhr ins Dorf zurück, fuhr vorbei an den vielen, vielen Ladenschildern. Gerzenstein, das Dorf der Läden und Lautsprecher! – Wann hatte Studer das Dorf so genannt? War das lange her? Am Samstag. Und heute war Dienstag. Zwei Tage nur lagen dazwischen!

Die Lautsprecher waren nicht zu hören. Entweder war es noch zu früh, oder der Lärm des Autos übertönte ihre Musik, ihre Reden.

Das Dorf Gerzenstein! Ein Dorf? Wo waren die Bauern in diesem Dorfe? Man sah nichts von ihnen. Sie wohnten wohl hinter der Fassade der Läden, irgendwo, in den Hintergründen.

Aeschbacher schnaufte. Den Mann mußte viel bedrükken.

Und während der Wagen in die Bahnhofstraße einbog, auf dem kleinen Stück Weges, der von der Hauptstraße bis zur Druckerei des »Gerzensteiner Anzeigers« führte, erlebte Studer noch einmal den gestrigen Abend.

Der Cottereau, der sich endlich entschlossen hatte zu sprechen. Der Cottereau, der gesehen hatte, wie Aeschbacher den Browning in eine jener Taschen versorgt hatte, die an den Türen der Autos angebracht sind. Cottereau erinnerte sich gut. Er war an jenem Abend spazierengegangen, an jenem Dienstagabend. Übrigens hatte er alle Personen des Dramas gesehen, den Lehrer Schwomm, der mit einer Schülerin aus der dritten Sekundarschulklasse spazierengegangen war (darum das verdächtige Schweigen des Lehrers!), den Wendelin Witschi, der von seinem ›Zehnderli‹ abgestiegen und im Wald verschwunden war, er hatte Aeschbachers Auto wiedererkannt, er hatte den Gemeindepräsidenten gesehen, wie er Witschi gefolgt war...

»Ich glaube, wir gehen zu mir in die Wohnung«, sagte Aeschbacher. Das Auto stand still vor einem eisernen Tor, dessen Spitzen vergoldet waren. Da war die Bogenlampe mit den steifen, roten Blumen um ihren Sockel, dort war der Bahnhof mit dem Kiosk, in dem sonst Anastasia Witschi Romane las, während sie auf Kunden wartete. Frau Anastasia Witschi, die mit dem Gemeindepräsidenten verwandt war...

Und als sie damals erfahren hatte, daß ihr Mann tot war, was hatte sie da gesagt?

»Zweiundzwanzig Jahre!«

Und war im Zimmer hin- und hergelaufen.

»Wie Ihr wollt«, sagte Studer auf die Frage Aeschbachers, die eigentlich gar keine Frage, sondern eine Aufforderung gewesen war. Der Wachtmeister betrachtete den dicken Mann unauffällig von der Seite.

Bureaux. Mädchen saßen vor Schreibmaschinen und begannen wie wild auf die Tasten loszuhämmern, als Aeschbacher in der Tür auftauchte.

»Guten Tag, Herr Direktor, grüeß-ech, Herr Gemeindepräsident...«

Ein alter Mann, fast ein Zwerg, trat Aeschbacher in den Weg. Er hielt Druckbogen in der Hand. Der Zeigefinger, mit dem er den Linien des Gedruckten folgte, während er eifrig auf Aeschbacher einsprach, hatte eine verkrüppelte Spitze. Studer sah dies alles überdeutlich. Dabei fühlte er sich recht elend. Es war ihm, als bestünden seine Beine aus zusammengenähten Flanellappen, und als seien sie mit Sägespänen gefüllt.

Auf die weitschweifigen Bemerkungen des weißen Zwerges antwortete Aeschbacher nur zerstreut. Er drängte vorwärts, weiter, weiter. Den Hut hatte er abgenommen, die braune Locke klebte noch immer auf seiner Stirn.

Eine kleine Türe. Das Stiegenhaus. Im ersten Stock die Wohnungstür. Neben der Tür ein Messingschild, darauf in schwarzen Buchstaben: *Aeschbacher*. Kein Vorname, kein Titel, nichts. Es paßte zu dem Manne.

»Tretet ein, Wachtmeister«, sagte der Gemeindepräsident. War nicht ein ganz leichter Sprung in Aeschbachers Stimme? Sie klang zwar noch immer wie die Stimme des Ansagers vom Radio Bern, aber etwas hatte sich an ihr geändert. Oder, dachte Studer, bin ich auf einmal hellhörig geworden? Das Fieber? –

Er stand im Gang der Wohnung. Die Küchentüre stand offen. Es roch nach Suurchabis und Speck. Studer wurde es übel. Er hatte seit gestern Mittag keinen Bissen gegessen. Sein Magen hatte Generalstreik proklamiert. Mußte man noch lange in diesem Gang stehen?

Aus der Küche trat eine Frau. Sie war klein und mager und ihre Haare waren weiß wie Flieder. Ja, wie Flieder. Sie hatte graue Augen, die sehr still blickten. Es war wohl nicht immer einfach die Frau des Gemeindepräsidenten Aeschbacher zu sein.

»Meine Frau«, sagte Aeschbacher. Und: »Wachtmeister Studer.«

Ein leichtes Erstaunen in den grauen Augen. Dann wechselte der Ausdruck, wurde ängstlich.

»Es ist doch nichts Böses passiert?« fragte sie leise.

»Nein, nein«, sagte Aeschbacher beruhigend. Dabei legte er seine große dicke Hand auf die schmale Schulter seiner Frau, und die Bewegung war so zart, daß es Studer plötzlich vorkam, als kenne er jetzt den Gemeindepräsidenten viel besser als früher. Es war im Leben eben immer ganz anders, als man meinte. Ein Mensch war nicht nur ein brutaler Kerl, er konnte scheinbar auch anders ...

Ein großes Zimmer, wahrscheinlich als Rauchsalon gedacht. Ein paar Bilder an der Wand, Studer kannte sich in der Malerei nicht aus, aber die Bilder schienen ihm schön. Große Reproduktionen, farbig, Sonnenblumen, eine südfranzösische Landschaft, ein paar Radierungen. Die Tapete war grau, auf dem Boden lag ein weißer Teppich, der mit einem schwarz-roten Muster durchsetzt war.

»Meine Frau hat das eingerichtet«, sagte Aeschbacher. »Sitzet ab, Wachtmeister. Was trinket Ihr?«

»Was Ihr wollt«, antwortete Studer, »nur nicht Himbeersirup oder Bier.«

»Kognak? Ja? Ihr seht nicht gut aus, Wachtmeister. Wo fehlt's? Sollt Euch meine Frau einen Grog machen? Ich glaub Ihr trinkt Grog gerne?«

Eine unangenehme Situation. Warum war dieser Aeschbacher so höflich? Was steckte dahinter?

Der Gemeindepräsident ging hinaus, nachdem er Studer einen Stumpen angeboten hatte. Es war ein guter Zehner-Stumpen, aber er schmeckte wie verbrannter Kautschuk. Studer zog mit Todesverachtung.

Aeschbacher kam zurück. Er trug drei Flaschen: Kognak, Gin, Whisky. Hinter ihm kam seine Frau. Sie stellte ein Tablett auf den Tisch: Zucker, Zitronenscheiben, eine Kanne mit heißem Wasser, zwei Gläser.

»Wir müssen unsern Wachtmeister kurieren«, sagte Aeschbacher und lächelte mit gesträubtem Katerschnurrbart, »er hat sich erkältet. Und ein erkälteter Fahnder kann nur schwer eine Verhaftung vornehmen; nicht wahr, Wachtmeister?«

Und Aeschbacher klopfte Studer aufs Knie. Studer wollte sich die Familiaritäten verbitten, er sah auf – da traf ihn ein Blick des Gemeindepräsidenten. Eine Bitte lag darin.

Studer verstand. Aeschbacher wußte. Er bat für seine Frau. »Gut, meinetwegen«, dachte Studer. Und er lachte.

»Also, auf Wiedersehen, Herr Wachtmeister!« sagte Frau Aeschbacher. Sie hielt die Klinke in der Hand und lächelte. Es war ein mühsames Lächeln. Und Studer verstand plötzlich, daß die beiden da versuchten, sich Theater vorzuspielen. Beide wußten, was los war, aber sie wollten es einander nicht merken lassen.

Eine merkwürdige Ehe, die Ehe des Gemeindepräsidenten Aeschbacher...

Die Türe wurde leise geschlossen. Die beiden Männer blieben allein.

Aeschbacher tat Zucker auf den Boden des einen Glases,

füllte es zur Hälfte mit heißem Wasser, rührte um, dann goß er aus jeder der drei Flaschen ein ordentliches Quantum nach: Kognak, Gin, Whisky. Studer sah ihm mit weitaufgesperrten Augen zu.

Und als Aeschbacher ihm das Glas präsentierte, fragte er, ein wenig ängstlich:

»Ist das für mich?«

»Ausgezeichnet, Wachtmeister«, pries der Präsident seine Mischung, »wenn ich erkältet bin, nehm' ich nichts anderes. Und wenn Ihr es nicht vertragen mögt, so macht Euch meine Frau später einen Kaffee.«

»Auf Eure Verantwortung«, sagte Studer und trank das Glas in einem Zug leer. Dunkel fühlte er, die Sache hier konnte man nüchtern zu keinem guten Ende bringen. »Aber Ihr müßt mir's nachmachen.«

»Sowieso«, sagte Aeschbacher und stellte dasselbe Gemisch noch einmal her.

Eine sanfte Wärme kroch über Studers Körper. Langsam, ganz langsam hob sich der dunkle Vorhang. Es war vielleicht alles gar nicht so schrecklich, gar nicht so kompliziert, wie er es sich vorgestellt hatte. Aeschbacher sank in einen tiefen Lehnstuhl, nahm einen Stumpen, zündete ihn an, leerte sein Glas, sagte »Ah«, schwieg einen Augenblick und fragte dann mit ganz unbeteiligter Stimme:

»Habt Ihr gestern abend in meiner Garage gefunden, was Ihr gesucht habt?«

Studer nahm einen Zug aus seinem Stumpen (er schmeckte plötzlich viel besser) und antwortete ruhig:

»Ja.«

»Was habt Ihr denn gefunden?«

»Staub.«

»Sonst nichts?«

»Das hat genügt.«

Pause. Aeschbacher schien nachzudenken. Dann sagte er:

»Staub? In der Landkartentasche?«

»Ja.«

»Schade ... Ihr hättet mein Angebot am Sonntag annehmen sollen. Und wenn Ihr wollt, leg ich noch etwas drauf, aus der eigenen Tasche. Sehr gescheit gewesen, in der Tasche nachzugrübeln. Es wär keiner auf den Gedanken gekommen.«

»Angebot?« fragte Studer. »Was meint Ihr eigentlich damit, Aeschbacher?«

Dem andern gab es einen Ruck. Die Anrede ›Aeschbacher‹ wahrscheinlich. Nicht mehr ›Herr Gemeindepräsident‹, sondern ›Aeschbacher‹ ... Wie man ›Schlumpf‹ sagt.

»Die Stelle bei meinem Bekannten, mein ich, Studer.«

»Ah, ja, ich besinn mich ... Interessiert mich nicht, Aeschbacher, aber auch gar nicht. Und das Geld? Ihr habt mir Geld angeboten? Ich hab mir sagen lassen, Ihr steht vor dem Konkurs.«

»Haha«, lachte Aeschbacher; es klang wie ein Theaterlachen. »Das hab ich nur so erzählt, damit mich der Witschi in Ruhe läßt. Ich hab ihm doch nicht all mein Geld in den Rachen schmeißen wollen, nur weil ich zufällig mit seiner Frau verwandt bin ...«

»So? Ihr habt dem Witschi Geld gegeben?«

»Wachtmeister«, sagte Aeschbacher ärgerlich. »Wir sind hier nicht am ›zugeren‹. Wir wollen mit offenen Karten spielen. Wenn Ihr etwas wissen wollt, so fragt, ich will Euch Antwort geben. Mir ist das Ganze schon lang verleidet ...«

»Gut«, sagte Studer. Und: »Wie Ihr wollt.«

Er lehnte sich zurück, kreuzte die Beine und wartete.

Und während des langen Schweigens, das nun über dem Raum lag, dachte er an viele Dinge. Aber sie wollten sich nicht ordnen: Gut, der Schuldige war gefunden; aber was nützte das? Niemals würde der Untersuchungsrichter sich dazu hergeben, den Aeschbacher zu verhören. Kein Staatsanwalt würde gegen den Gemeindepräsidenten eine Anklage erheben. Erst wenn die Beweise so überzeugend waren, daß es wirklich nichts anderes gab. Aeschbacher mußte eine große Rolle gespielt haben, früher einmal. Das ergab sich aus allen Erkundigungen, die Studer gestern nachmittag in Bern eingezogen hatte. Man konnte Skandale nicht brauchen. Und was hatte Studer für Beweise? Die Aussage des Cottereau? Mein Gott! Cottereau würde nie wagen, sie aufrechtzuerhalten. Die mikroskopische Untersuchung des Staubes? Für ihn genügte es als Beweis. Für ein Schwurgericht, ein Schwurgericht, an dem die Geschworenen Bauern waren? Auslachen würde man ihn! Schon der Untersuchungsrichter würde ihn auslachen.

Blieb noch übrig, die Sache auf sich beruhen zu lassen. Witschi hatte Selbstmord begangen, das würde zu beweisen sein, leicht zu beweisen sein, der Untersuchungsrichter war überzeugt, Schlumpf kam frei – die Familie Witschi würde ihr Haus verkaufen müssen, die alte Frau würde weiter im Kiosk sitzen und Romane lesen, der Armin würde die Saaltochter heiraten und eine Wirtschaft kaufen, und Sonja? Sonja würde den Schlumpf heiraten, der Erwin würde mit der Zeit Obergärtner werden, und Aeschbacher? Mein Gott, er würde sicher nicht der einzige Mörder sein, der straflos in der Welt umherlaufen würde.

»Ihr habt ganz recht, Wachtmeister«, tönte Aeschbachers Stimme in die Stille. »Es hat gar keinen Wert, die Sache weiter zu verfolgen. Ihr blamiert Euch nur. Habt Ihr Euch nicht schon einmal blamiert, damals, in jener Bankaffäre? Glaubet doch dem Polizeihauptmann, folget seinem Rat. Es ist besser, Studer, glaubet mir. Noch einen Grog?«

»Gern«, sagte Studer und versank wieder in Schweigen. War es nicht merkwürdig, daß Aeschbacher Gedanken lesen konnte? Studer fröstelte. Der stechende Punkt in der Brust war wieder da, kalter Schweiß brach aus. Draußen vor den Fenstern hockte ein grauer Nebel, es war, als ob die Wolken auf die Erde gefallen wären. Und dann war es kalt im Zimmer. Studers Stumpen war ausgegangen, er hatte nicht den Mut, ihn wieder anzuzünden; er hatte überhaupt keinen Mut mehr, er war krank, er wollte ins Bett, er hatte eine Brustfellentzündung, Herrgott noch einmal! Und mit einer Brustfellentzündung geht man ins Bett und spielt nicht den scharfsinnigen englischen Detektiv mit deduktiven Methoden à la Sherlock Holmes. Staub in einer Tasche! Wenn schon! Wenn es so weiterging, würde er bald auf dem Boden herumkriechen mit einer Lupe in der Hand und den Teppich absuchen!

»Trinkt Studer«, sagte Aeschbacher und schob das frischgefüllte Glas über den Tisch. Und der Wachtmeister leerte es gehorsam.

Es war doch eine Schweinerei, träumte er weiter. Da hatte man ein Gehalt von ein paar hundert Franken im Monat, es langte wohl, es langte ganz gut. Und für das lumpige Gehalt war man verpflichtet, den Kanalräumer zu spielen. Ärger als das. Man mußte schnüffeln, anderer Leute Missetaten aufdecken, man mußte sich überall hineinmischen, keinen Augenblick hatte man Ruhe, nicht einmal pflegen konnte man sich, wenn man krank war.

Aeschbacher sog hocherfreut an seinem Stumpen. Seine kleinen Äuglein glänzten boshaft, schadenfroh.

Und da tauchte in Studer plötzlich wieder der Traum jener Nacht auf. Der riesige Daumenabdruck auf der Tafel, der Lehrer Schwomm im weißen Kittel und Aeschbacher, der den Arm um Sonja geschlungen hatte und ihn, Studer, auslachte.

Später hätte Studer nie sagen können, ob es wirklich die Erinnerung an diesen Traum war, die ihm plötzlich neuen Mut gab. Oder ob ihm das höhnische Grinsen Aeschbachers auf die Nerven fiel. Genug, er raffte sich auf, legte die Unterarme auf seine gespreizten Schenkel, faltete die Hände und blickte zu Boden. Er sprach langsam, denn er fühlte, daß seine Zunge große Lust zeigte, eigene Wege zu gehen.

»Gut«, sagte er, »Ihr habt recht. Ich werde mich blamieren. Aber das steht nicht in Frage, Aeschbacher. Ich tue meine Arbeit, die Arbeit, für die ich bezahlt bin. Ich bin dafür bezahlt, Untersuchungen zu führen. Man hat mich darauf vereidigt, daß ich die Wahrheit sage. Ich weiß, Ihr werdet lachen, Aeschbacher. Wahrheit! Ich bin auch nicht von heute. Ich weiß auch ganz genau, daß die Wahrheit, die ich finde, nicht die wirkliche Wahrheit ist. Aber ich kenne sehr gut die Lüge. Wenn ich die Sache aufgebe und der

Schlumpf wird frei, und das Gericht legt den Fall zu den Akten, wie man sagt, dann ist alles ganz gut und schön. Und schließlich bin ich kein Richter und Ihr müßt mit Eurer Tat allein fertigwerden.« Immer langsamer sprach Studer. Er sah nicht auf, er wollte den Blicken Aeschbachers nicht begegnen, verzweifelt starrte er auf ein kleines Muster im Teppich: ein schwarzes Rechteck, das von roten Fäden durchzogen war und das ihn, weiß der Himmel warum, an Witschis Hinterkopf erinnerte. Genauer: an die spärlichen Haare, durch die sich Blutfäden zogen.

»Allein fertigwerden, das ist es. Und ich weiß nicht, ob Ihr das könnt. Ihr spielt gerne, Aeschbacher, spielt mit Menschen, spielt an der Börse, spielt mit Politik. Ich habe manches über Euch gehört. Ich würd' Euch gern laufen lassen... Aber da ist die Geschichte mit der Sonja. Lueget, Aeschbacher, die Sonja! Das Meitschi hat's nicht schön gehabt. Ihr habt es einmal auf die Knie genommen, der Vater ist dann dazu gekommen... Hat der Wendelin Witschi damals wirklich unrecht gehabt mit seiner Behauptung? Nein, schweigt jetzt. Ihr könnt nachher reden. Ihr müßt nicht meinen, ich sei ein Stündeler. Ich versteh auch Spaß, Aeschbacher; aber irgendwo muß der Spaß aufhören. Ihr habt vieles auf dem Gewissen, nicht nur den Wendelin Witschi. Und ich möcht nicht, daß Ihr auch die Sonja auf dem Gewissen habt. Versteht Ihr?«

Die Wolken draußen sanken immer tiefer, es wurde düster im Zimmer. Aeschbacher saß vergraben in seinem Stuhl, Studer konnte nur seine Knie sehen. Ein heiseres Krächzen war hörbar, man wußte nicht, war es ein Räuspern oder ein unterdrücktes Lachen.

»Was er sonst noch von Euch gewußt hat, der Wendelin Witschi, hab' ich nicht erfahren ...« Das Reden ging jetzt leichter. Aber immer noch sprach Studer langsam, und was das Merkwürdigste war, es war wie eine Spaltung seiner Persönlichkeit: er sah das Zimmer von oben, sah sich selbst, nach vorne gebeugt, mit gefalteten Händen, im Stuhle sitzen und dachte dabei: »Studer, du siehst sicher aus, wie ein Pfarrer, wenn er eine Kondolenzvisite macht.« Aber auch das verging wieder, und er sah plötzlich das Zimmer des Untersuchungsrichters und den Schlumpf, der seinen Kopf auf den Schoß des Mädchens gelegt hatte.

»Wenn's darauf ankommt«, sagte Studer, »wird auch das noch zu ermitteln sein. Ich habe mir sagen lassen, daß Ihr mit Mündelgeldern spekuliert habt, Aeschbacher; Ihr seid doch hier in der Vormundschaftsbehörde ... und daß Ihr das Geld wieder zurückgezahlt habt, aber, daß der Witschi davon gewußt hat. Er ist doch mit Euch in der Fürsorgekommission gesessen? Oder? Ihr braucht nicht zu antworten. Ich erzähl' Euch das nur, damit Ihr den Studer nicht für einen Löli haltet. Der Wachtmeister Studer weiß auch einiges ...«

Schweigen. Studer stand auf, aber immer noch ohne auf Aeschbacher zu schauen, griff nach einer Flasche, schenkte sich ein, leerte das scharfe Zeug, setzte sich wieder und zog eine Brissago aus dem Etui. Merkwürdig, aber sie schmeckte. Sein Herz machte zwar noch immer Seitensprünge –; aber, dachte er, heut' nachmittag werd' ich ins Spital fahren. Dort hat man Ruhe.

»Soll ich Euch erzählen, wie die ganze Geschichte gegangen ist, Aeschbacher? Ihr braucht gar nicht zu sprechen.

Ihr braucht weder ja noch nein zu sagen. Ich erzähl' sie so mehr für mich.«

Und Studer faltete wieder die Hände und starrte auf das Muster im Teppich, das ein schwarzes Rechteck darstellte mit roten Fäden darin.

»Eure Base hat Euch erzählt, was der Witschi vorhatte. Von ihr habt Ihr auch erfahren, wann der Witschi seinen Plan ausführen wollte. Aber Ihr trautet dem Witschi nicht. Ihr wußtet, daß er feig war – mein Gott, ein Erpresser ist immer feig – und Ihr dachtet, daß er es nicht einmal wagen würde, sich selbst zu verwunden. Darum seid Ihr mit Eurem Auto an jenen Platz gefahren. Und den Platz habt Ihr ja ganz genau gewußt. Der Augsburger hat damals schon bei Euch gewohnt. Warum habt Ihr den Mann bei Euch aufgenommen? Waret Ihr etwa eifersüchtig auf den Ellenberger? Wolltet Ihr auch Euren entlassenen Sträfling haben? Nun, das ist ja gleich. Ihr seid also mit Eurem Auto zu jenem Platz gefahren und habt darauf gerechnet, daß der Armin sich verdrücken würde, wenn er Euer Auto höre. Das hat er gemacht. Dann habt Ihr schön Zeit gehabt, die Brieftasche des Witschi zu durchsuchen. Das Dokument, mit dem er Euch erpreßt hat, war wohl in der Brieftasche? Und dann seid Ihr weiter in den Wald gegangen. Dem Witschi konnte man leicht folgen, er hat wohl genug Lärm gemacht. Dann ist es still geworden, Ihr habt gewartet. Ihr habt einen Schuß gehört, seid näher gekommen. Der Witschi ist dagestanden, den Browning noch in der Hand – unverletzt. Was Ihr dann mit ihm gesprochen habt, weiß ich nicht. Ich bin sicher, Ihr habt Eure Rolle gut gespielt. Arm um die Schultern gelegt, wahrscheinlich, ihn getröstet, ihn ein wenig weitergeführt.

Und Eure Pistole habt Ihr wohl in der Tasche gehabt. Dann habt Ihr Euch von ihm verabschiedet, seid ein paar Schritte von ihm weg, einen Meter vielleicht, und habt ihn von hinten erschossen.«

Pause. Studer nahm noch einen Schluck. Merkwürdig, daß er gar keine Betrunkenheit spürte, im Gegenteil, er wurde nüchterner, es schien ihm, als werde sein Kopf immer klarer, der unangenehme Stich war verschwunden. Er zündete umständlich seine Brissago wieder an, die während des Redens ausgegangen war.

»Zwei Fehler, Aeschbacher, zwei große Fehler!« sagte Studer, wie ein Lehrer, der einen begabten Schüler nicht tadeln, sondern im Gegenteil fördern will.

»Der erste: Warum nicht Witschis Revolver nehmen? Armin hätte ihn gefunden; die ganze Geschichte hätte reibungslos geklappt. Ich wäre höchstens bis zum Selbstmord vorgedrungen, nie weiter. Und der zweite Fehler, aus dem alle übrigen sich dann ergeben haben: Warum den Browning in jener Automobiltasche lassen? Irgendwer hat ihn doch finden müssen. Und daß ihn gerade der Augsburger, der kleine Einbrecherdilettant, hat finden müssen, das war Pech ... Pech? Vielleicht habt Ihr das gerade gewollt?«

Studers Augen hatten sich endlich von dem schwarzen Muster losgerissen. Er starrte nun auf ein anderes, das wie ein Haus aussah, dachte an einen Spruch, der in blauer Farbe an eine Wand gemalt war, und die Farbe begann abzubröckeln: »Grüß Gott, tritt ein, bring Glück herein.«

»Es ist merkwürdig mit uns Menschen«, fuhr Studer fort, »wir tun manchmal gerade das, was wir vermeiden möchten, das, wovor unser Verstand uns warnt. Ein Bekannter von mir, der nun tot ist, sprach immer von Unterbewußtsein. Als ob das Unterbewußte einen eigenen Willen hätte. Und bei Euch, Aeschbacher, muß ich immer an so etwas denken. Denn Ihr habt doch alles getan, damit man auf Euch aufmerksam wird. Und das kann man nicht nur mit Eurer Spielleidenschaft erklären, es steckt wohl etwas anderes dahinter. Im Grunde habt Ihr doch gewollt, daß der Mord auskommt. Sonst hättet Ihr doch nicht den Gerber und den Armin mit Eurem Auto ausgeschickt, um den Ellenberger und den alten Cottereau zu überfahren. Wer hat Euch erzählt, daß der Cottereau Euch gesehen hatte? Der Augsburger?«

»Ich hab den Augsburger damals mitgenommen, wie ich den Witschi hab treffen wollen...« Ganz ruhig kam die Stimme von drüben. Keine Aufregung brachte sie zum Zittern. Sie klang genau wie die Stimme des Ansagers, wenn er verkündete: »Die Überschwemmungen im unteren Rhonegebiet haben große Ausmaße angenommen.«

»Und Ihr habt nicht Angst gehabt, daß er Euch verraten würde?«

»Er war ein treuer Bursch. Später hätt ich ihn ins Ausland geschickt...«

»Aber er wurde gesucht. Und der Autodiebstahl...«

»Mein Gott«, sagte Aeschbacher, »solche Leute gehen nicht so sparsam mit den Jahren um, wie wir.«

Studer nickte. Das stimmte.

»Und«, fuhr Aeschbacher fort, »den beiden anderen Burschen hab' ich angegeben, ein Tschucker wolle sich in unsere Angelegenheiten mischen... Sie haben viel Kriminalromane gelesen, die Burschen, sie haben es gerne gemacht. Sie wollten John Kling spielen.«

Einen Augenblick übermannte den Wachtmeister schier der Stolz. Er hatte den Aeschbacher dazu gebracht, zu sprechen; er hatte ihn gezwungen, zuzugeben. Da blickte er zum erstenmal auf und der Stolz verging ihm. Ihm gegenüber, im tiefen Stuhl, saß ein zusammengesunkener Mann, der schwer atmete. Das Gesicht war rot angelaufen, die Hände zitterten, der Mund stand ein wenig offen. Aber nur einen Augenblick verblieb der Mann so. Dann schloß sich der Mund, die Augen blickten wieder gerade vor sich hin, an Studer vorbei, zum Fenster hinaus.

»Die beiden Burschen«, sagte Studer, »haben den armen Cottereau ordentlich durchgeprügelt. Er hat mir nichts sagen wollen. Und auch der alte Ellenberger wußte von der Sache?«

»Vielleicht nachher. Der Cottereau hat auch zuerst gar nicht gewußt, daß ich den Witschi erschossen habe. Ich habe nur vorbeugen wollen, er sollte es Euch nicht gleich erzählen, daß er mich dort gesehen hatte.«

»Wann hat er Euch erkannt?«

»Wie ich ins Auto gestiegen bin. Da hat ihn auch der Augsburger gesehen, den Cottereau nämlich ...«

Jetzt eine Platte da haben! dachte Studer, und das Gespräch aufnehmen!

»Warum habt Ihr den Augsburger im gestohlenen Auto nach Thun geschickt, damit er sich verhaften lassen soll? Denn das habt Ihr doch gewollt?«

»Fragt nicht so dumm, Wachtmeister!« Es war der Gemeindepräsident, der sprach. »Natürlich hab ich ihn geschickt. Zwei Gründe: Er hätte von der Belohnung hören können, die Ihr habt ausschreiben lassen, und dann wollt ich Euch einen Strich durch die Rechnung machen. Wenn der Schlumpf gestand, so waret Ihr schachmatt, nid? Und Augsburger kannte den Schlumpf. Er sollte versuchen, mit ihm in Verbindung zu treten und ihm von Sonja ausrichten, es stünde schlecht und er müsse gestehen, sonst würden alle wegen Versicherungsbetruges verhaftet. Ich hab natürlich nicht erwartet, daß mir die Leute in Thun so entgegenkommen und den Augsburger mit dem Schlumpf in eine Zelle sperren. Wollt Ihr sonst noch etwas wissen? Der Augsburger hat schlecht geschwindelt, ich weiß es. Aber er hat keine große Erfindungsgabe, darum hat er alles auf den Ellenberger gewälzt.«

»Ja, der Ellenberger«, sagte Studer, ganz freundschaftlich, so, wie man sich an einen Kollegen um Auskunft wendet. »Was haltet Ihr vom Ellenberger?«

»Eh«, sagte Aeschbacher. »Ihr kennt doch diese Sorte Leute. Immer muß etwas gehen, immer müssen sie eine Rolle spielen, weil sie im Innern hohl sind. Das schwätzt, das macht sich interessant, das blagiert von marokkanischen Residenten, von Vermögen, das gründet den ›Convict Band‹ – das einzige, was ich am Ellenberger schätze, ist, daß er den Schlumpf gerne gemocht hat.«

Schweigen. Es war fertig. Jetzt kam das Schwerste. Wie sollte man nun die Verhaftung vornehmen? Man war schwach auf den Beinen, man war krank. Der Aeschbacher war ein großer schwerer Mann, das Telephon, mit dessen Hilfe man vielleicht den Murmann hätte herbeirufen können, stand in der andern Ecke, man hatte zwar einen Revolver in der Tasche, auch einen Verhaftbefehl hatte man. Aber –.

»Ihr studiert, Wachtmeister, wie Ihr es am besten machen könnt, um mich zu verhaften? Oder nicht?« sagte da Aeschbacher mit ruhiger Stimme. »Macht Euch keine Sorgen. Ich komm mit nach Thun. Aber wir fahren mit meinem Auto, und ich fahre. Habt Ihr soviel Kurasch?«

Aeschbacher hatte nicht nur Studers Gedanken erraten, er hatte auch des Wachtmeisters empfindliche Stelle getroffen.

»Angst? Ich?« fragte Studer beleidigt. »Fahren wir!«

»Ich ... will ... meiner ... Frau noch Adieu sagen.« Die Worte kamen stockend. Studer nickte.

An der Tür sagte Aeschbacher noch:

»Bedient Euch, Wachtmeister ...« und wies auf die Flaschen, die auf dem Tisch standen.

Studer bediente sich. Dann sank er in seinen Stuhl zurück und schloß die Augen. Er war müde, hundsmüde. Er war gar nicht mehr stolz. Er kam nicht recht nach. Warum hatte der Aeschbacher alles zugegeben? Hatte er gemerkt, daß Studer der Einzige war, der von der ganzen Sache wußte? Bezog sich die Frage wegen der Angst auf diese Tatsache? Man würde sehen ...

Eigentlich hätte Studer noch ganz gerne einmal mit Frau Aeschbacher gesprochen. Was war das für eine Frau? Sie sprach so merkwürdig. Eine Ausländerin? Wo hatte der grobe Aeschbacher diese feine Frau aufgetrieben ... Die las wohl keine Romänli in der Nacht, vielleicht spielte sie Klavier? Oder Geige? Das Kopfweh kam wieder. Aber nun war wohl bald alles zu Ende. Eigentlich hätte man einen Gefreiten von Bern verlangen können, um den Aeschbacher einzuliefern... Dann hätte man gleich ins Bett kriechen können. War es nicht besser, man ging dann heim und legte sich dort ins Bett? Es pflegte nicht schlecht, 's Hedy. Warum wollte er partout ins Spital?

Da ging die Türe auf:

»Wei mer go?« fragte Aeschbacher, so ruhig, als ob es sich um eine Spazierfahrt handle.

Studer stand auf. Sein Mund war trocken. Er fühlte eine merkwürdige Leere im Magen und tröstete sich, das käme vom Fieber, vom Hunger, vom Trinken auf nüchternen Magen. Aber das Gefühl wollte nicht vergehen.

Spritztour und Ende

Wenn nicht die Hände gewesen wären, die großen, dicken Hände auf dem Lenkrad, die von Zeit zu Zeit zuckten, um den Wagen wieder in die Richtung zu bringen, hätte man meinen können, man säße neben einem steinernen Mann. Aeschbacher rührte sich nicht. Sein Mund war fest geschlossen, die Blicke geradeaus gerichtet. Der Scheibenputzer pendelte hin und her und schnitt in die trübe Scheibe eine geometrische Figur, die Studer an die Sekundarschule erinnerte.

»Ist Eure Frau Ausländerin?« fragte er schüchtern, um das Schweigen zu brechen.

Keine Antwort. Studer schielte nach seinem Begleiter. Da sah er, daß zwei große Tränen über die wulstigen Wangen liefen, im Schnurrbart versickerten, zwei neue kamen, verschwanden. Studer blickte scheu beiseite. Es sah tragisch und grotesk aus, wie so vieles im Leben.

Eine Hand ließ das Steuerrad los, suchte in der Tasche. Schneuzen.

»Verdammter Schnupfen«, tönte es heiser. »Sie ist in Wien aufgewachsen. Die Eltern waren Schweizer.«

»Und was meint sie?« Studer hätte sich ohrfeigen können. So etwas sagt man doch nicht! Und es war wirklich ein Fehler. Denn plötzlich traf Studer ein Blick ... Er war bösartiger, dieser Blick, als jener, den er damals im »Bären« erhalten hatte. Wie weit war das weg! Studer sah die kurze Bewegung, mit der Aeschbacher die Karten fächerförmig auseinanderbreitete...

Ganz ruhig kam nun die Stimme:

»Das hättet Ihr nicht sagen sollen, Wachtmeister!«

Die Straße lief am See entlang. Aber der See war fast nicht zu erkennen. Die ganze Straßenbreite lag dazwischen, dann kam eine niedere Mauer, und hinter der niederen Mauer sah man mit Mühe eine große feuchte Ebene, grau, grau, verschwommen, kalt. Das Auto fuhr langsam.

Wie spät war es eigentlich? Studer wollte seine Uhr ziehen, er hatte schon Daumen und Zeigefinger in der Westentasche versenkt, da hörte er eine ganz fremde Stimme sagen – und sie hatte gar keine Ähnlichkeit mehr mit der Stimme des Ansagers vom Radio Bern –:

»Use, los! Sonst...«

Studers Uhr flog aus der Westentasche, seine rechte Hand umkrampfte den Griff der Türklinke, drückte sie nieder, riß sie in die Höhe (wie funktionierte nur so eine Klinke?), Studer warf seinen massiven Körper mit aller Gewalt gegen die Tür, sie sprang auf, er flog auf die Straße, blieb mit einem Fuß an der unteren Türkante hängen, wurde ein Stück mitgeschleift. Seine Schulter, sein Kopf prallten gegen etwas Hartes, ein riesiger Schatten war über ihm, verschwand... Und dann wurde es endgültig dunkel.

»Nein, jetzt wird nicht mikroskopiert«, sagte eine tiefe Stimme. Es war Nacht. Irgendwo brannte ein grünes Licht. Studer versuchte verzweifelt, sich zu erinnern, wo er die Stimme schon einmal gehört hatte.

»Pikrin ...« flüsterte Studer. Er hörte ein Lachen.

»Der verdammte Fahnder, nie kann er Ruh' geben. Passen Sie auf, Schwester. Wie gesagt, alle Stunden Coramin, alle drei Stunden Transpulmin, verstanden? Gott sei Dank, ist er noch ein fester Kerl. Es ist kein Spaß, wenn man zwei Frakturen hat und dazu noch ...«

Weiter hörte Studer nichts. Es war doch einmal ein schwarzer Vorhang dagewesen, jetzt aber senkte sich ein roter über ihn, es rauschte, Glocken läuteten. Der Whisky war scharf. Das gab Durst. Wie hatte doch der See ausgesehen? Eine weite Ebene grau, grau, kalt und feucht ...

Dann war wieder einmal Sonne da und ein ganz bekanntes Geräusch. Studer lauschte. Es klickte ... klickte. Was war das? Früher hatte das Geräusch ihn immer verrückt gemacht, er kannte es gut. Was war es nur? Natürlich! Stricknadeln! Er rief leise: »Hedy!«

»Ja?«

Ein Schatten zwischen ihm und der Sonne.

»Grüß di«, sagte Studer und blinzelte mit den Augen.

»Salü!« sagte Frau Studer, als ob es die natürlichste Sache von der Welt wäre.

– Was denn eigentlich mit ihm los sei? fragte Studer. – Nüt Apartigs, meinte die Frau. Fieber, Brustfellentzündung, Oberarm gebrochen, Schlüsselbeinfraktur. Er solle froh sein, daß er noch nicht tot sei.

Sie tat dergleichen, als ob sie ärgerlich sei. Aber hin und wieder preßte sie die Lippen zusammen.

»Aebe, jooo«, sagte Studer und schlief wieder ein.

Das dritte Mal ging es schon ganz gut. Da war der Punkt, der stechende Punkt in der Brust verschwunden. Aber der rechte Arm war noch schwer. Studer trank eine Tasse Bouillon und schlief wieder ein.

Das vierte Mal wachte er auf, weil ein Heidenkrach vor der Zimmertür stattfand. Eine ärgerliche Stimme verlangte Einlaß, eine andere Stimme (war das nicht der Dr. Neuenschwander?) wurde boshaft und fluchte. Es war alles so unerträglich laut.

»Die Leute sollen still sein!« flüsterte Studer.

Und wirklich schwiegen sie bald darauf.

Und dann kam endlich das große Erwachen. Es war morgens, kühl, das Fenster mußte gerade geöffnet worden sein. Das Zimmer war klein, die Wände mit grüner Ölfarbe gestrichen. Geranien blühten auf dem Fensterbrett.

Eine dicke Schwester war daran, das Zimmer zu kehren.

»Schwester«, sagte Studer und seine Stimme war fest, »ich hab Hunger.«

»So, so«, sagte die Schwester nur, kam näher, beugte sich über Studer. »Geht's besser?«

»Wo bin ich?« fragte Studer und begann zu lachen. So fragten doch immer die Helden in den Romanen von ... von ... wie hieß die alte Trucke nur, die immer Romane schrieb? Felicitas? Ja, Felicitas ...

»Gemeindespital Gerzenstein«, sagte die Schwester. Irgendwo spielte Musik.

»Was ist das?« fragte Studer.

»Hafenmusik – Hamburg«, sagte die Schwester.

»Gerzenstein und die Lautsprecher«, murmelte Studer. Und dann gab es Milch und Weggli und Anken und Konfitüre. Studer bekam Lust nach einer Brissago. Aber als er diesen Wunsch äußerte, kam er bei der Schwester bös an.

Und dann kam ein Nachmittag, an dem er allein im Zimmer lag. Seine Frau war nach Bern zurückgefahren und hatte versprochen, ihn am Ende der Woche holen zu kommen.

Da kam die Schwester herein, eine Dame (sie sagte ›eine Dame‹) wolle den Wachtmeister sprechen. Studer nickte.

Die Haare der Dame waren weiß wie ... wie ... Flieder.

Studer wußte, daß Aeschbacher im See ertrunken war. Ein Unglücksfall, war ihm gesagt worden. Studer hatte genickt.

Die Dame setzte sich an Studers Bett, die Schwester ging hinaus. Die Dame schwieg.

»Bonjour Madame«, sagte Studer mit einem hilflosen Versuch, zu scherzen. Die Dame nickte.

Schweigen. Eine Hummel strich summend durchs Zimmer. Es mußte wohl Ende Juni sein.

»Es war meine Schuld«, sagte Studer leise. »Ich hab ihn nach Ihnen gefragt, Madame, und da hat er geweint. Die Tränen sind ihm über die Wangen gelaufen. Ja. Und dann hab ich ihn noch gefragt, was Sie gemeint hätten, so, zu der ganzen Sache. Dann hat er mich noch gewarnt. Ich habe gerade Zeit gehabt, aus dem Wagen zu springen. Ich mein' er ist dann über die Mauer... Glauben Sie nicht, es ist besser so?«

»Ja«, sagte die Dame. Sie weinte nicht. Sie hatte die Hand auf Studers Arm gelegt. Eine sehr leichte Hand.

»Ich sage nichts, Madame«, sprach Studer ganz leise.

»Danke, Herr Studer.«

Das war alles.

Und einmal kam Sonja Witschi. Sie bedankte sich. Die Versicherung war nicht ausbezahlt worden. Der Untersuchungsrichter hatte sie alle drei vorgeladen, die Mutter, Armin und Sonja. Man hatte davon abgesehen, eine Klage auf Versicherungsbetrug zu stellen. Man war froh, den ganzen Fall Witschi ad acta zu legen...

– Wie es dem Schlumpf ginge, wollte Studer wissen. – Gut, sagte Sonja und wurde rot.

...Die Sommersprossen auf dem Nasensattel, an den Schläfen...

– Armin werde auch bald heiraten, sagte sie. Die Mutter habe noch immer den Bahnhofkiosk.

Und zum Schluß kam der Untersuchungsrichter. Sein seidenes Hemd war diesmal cremefarben. Den Siegelring trug er noch immer.

»Ich war schon einmal da, Herr Studer«, sagte er. »Aber der Arzt war so grob. Ich wundere mich immer über den Mangel an guter Kinderstube bei akademisch gebildeten Leuten, bei Medizinern vor allem.«

– Das sei nun einmal so, meinte Studer. Er hatte die Hände auf der Bettdecke gefaltet und drehte die Daumen umeinander.

»Warum sind Sie damals mit Aeschbacher gefahren, Herr Studer? Hatten Sie etwas Wichtiges entdeckt? Sie machten damals so merkwürdige Andeutungen? Hat Witschi eigentlich keinen Selbstmord begangen, war es doch ein Mord? Hat Ihnen der selige Herr Gemeindepräsident etwas mitgeteilt? Etwas Wichtiges? Das er auch mir mitteilen wollte? Sie schweigen, Studer? Was hat Ihnen Aeschbacher mitgeteilt, daß Sie es so eilig hatten, mit ihm nach Thun zu fahren?«

Studer starrte zur Decke, schwieg eine Zeitlang. Dann sagte er, und seine Stimme war ausdrucklos:

»Nüt Apartigs...«

Der arme Hund, der jeder von uns ist

Hugo Loetscher
über Friedrich Glauser

Glauser paßte nicht ins Bild, und dies in jeder Hinsicht. In einer autobiographischen Notiz, die er für einmal nicht für einen Psychiater, sondern für einen Verleger verfaßte, gab Friedrich Glauser unter den mütterlichen Vorfahren Hofräte an und unter den väterlichen einen Goldgräber aus Kalifornien – »eine schöne Mischung«, wie er meinte, »ein unschönes Resultat«, wie er selbst festhielt.

Herkunftsmäßig war für ihn, der 1896 in Wien geboren wurde, alles auf Wohlanstand ausgerichtet. Der Vater, Professor an der Handelsakademie, war ein Mann von Ansehen, der auf Ansehen hielt. So wuchs Glauser in einem Milieu auf, in dem man eine gute Schularbeit mit einem Opernbesuch honorierte. Doch später, als der Vater in Mannheim eine eigene Schule leitete, beantragte dieser die Bevormundung seines Sohnes wegen Schuldenmachens; da er auch das Ehrenamt eines schweizerischen Generalkonsuls ausübte, konnte er zu gegebener Zeit dem Sohn den Weg zwar nicht nach oben, aber in die Fremdenlegion ebnen.

Ganz anderes war vorgesehen gewesen. Als der junge Glauser im k. u. k. Gymnasium Schwierigkeiten hatte, sah sich der Vater, ein Auslandschweizer, nach einer der besten Schulen in seiner Heimat um und entschied sich für Glarisegg am Bodensee, ein Landerziehungsheim, das sich an englischer Pädagogik inspirierte und wo die Söhne der oberen Zehntausend ausgebildet wurden. Eine erstrangige Adresse. Doch Glauser sollte zu anderen Adressen kommen: Polizeigefängnis und Spital, Zwangsarbeitsheim, Zuchthaus und Irrenanstalt.

Nachdem Glauser aus Glarisegg rausgeflogen war, versuchte er es am Collège in Genf; noch vor dem Abschluß brannte er durch. Mit etwelcher Anstrengung brachte er in Zürich die Matura hinter sich und schrieb sich an der Universität für ein Chemiestudium ein. Doch sollte er sich in der Folge als Milchausträger und Handlanger durchschlagen. Er übte in den Anstalten Tätigkeiten aus, wie sie Internierungen mit sich bringen, war Hausbursche, aber auch Organist. Nach seiner Entlassung aus der Fremdenlegion suchte er sein Auskommen als Küchengehilfe in Paris und als Kumpel in Belgien. Als der Fünfunddreißigjährige eine Lehre in einer Baumschule absolvierte, wurde aus dem Hilfsgärtner ein Gärtner mit Diplom. Am Ende jedoch wurde er Schriftsteller.

Das alles sah nach einem Fall aus, nur nach einem Fall, und dies in geradezu klassischer Weise.

Da war der frühe Tod seiner Mutter. Der Vierjährige verlor damit einen Menschen, der »seine Angst verstand«.

Da war die Wiederverheiratung seines Vaters und eine neue »maman«, wie man zuhause sagte, wo man französisch sprach.

Da war ein Vater mit rigorosen Wertvorstellungen und von gnadenloser Korrektheit.

»Die Gesellschaft übernahm später die Rolle des Vaters wenigstens in meinem Innenleben.«

Das schrieb Glauser in einer Rückschau. Diese Gesellschaft präsentierte sich ihm als Polizist und Psychiater, als Wächter und Wärter, als Vormund und Richter. Aber eines Tages lernte er auch eine Pflegerin kennen, und sie sollte zur großen Hoffnung werden.

Da war aber auch ein Schlüsselerlebnis wie das, als der Vater den Jungen zwang, den Diebstahl eines Fleischstükkes zuzugeben, das er nicht entwendet hatte. Man denkt an eine entsprechende Episode im Leben von Jean Genet, die Jean-Paul Sartre anführte, um diesen französischen Außenseiter als Märtyrer der Gesellschaft heiligzusprechen. Die Rebellion Glausers hat mit ihren Grund in solcher Erfahrung; man hatte ihn zum Lügner gemacht, er war bereit, die Rolle zu übernehmen.

Von Kindheit an Situationen, aus denen es nur einen Ausweg zu geben schien, die Flucht. Zum ersten Mal brannte Glauser mit dreizehn Jahren nach Preßburg durch. Während er auf der Polizeistation in einer Kollektivzelle darauf wartete, daß ihn sein Vater abholte, machte er eine Entdeckung:

»Der Wärter sollte mich wieder mitnehmen – ich, als Direktorensohn, sollte doch nicht mit Vaganten zu Nacht essen – aber ich wollte bleiben. Schließlich gab mir der Mann einen Napf, und ich aß mit den Menschen, die man gemeinhin Gesindel nennt. Was willst du, das ist so gewesen, ich kann nichts dafür. Ich fühlte eine Zugehörigkeit zu den Leuten, hier war man nicht allein, Lärm gab es und Gesang und Flüche, die ich nicht verstand. Noch merkwürdiger vielleicht ist es, daß die Leute mich als einen der ihren ansahen. Sie waren freundlich, gar nicht untertänig. Eine alte Zigeunerin hing mir sogar ein Bleikreuz um den Hals, an einer Schnur, die vielleicht nicht ganz sauber war... Vom ersten Augenblick an hab ich gefühlt: beim Gesindel ist deine Heimat. Dort gehörst du hin.«

Das war Solidarität mit jenen Randfiguren, denen er sich eines Tages selber zuzählte, die er überall auf seinen Lebensstationen antraf und denen er in seinen Romanen und Erzählungen Unterkunft gewähren sollte. Die Literatur wurde zum Asyl.

Die Flucht konnte Ausreißen und Abhauen bedeuten: Ob er sich in einem Hotel verkroch, bei Freunden Unterschlupf suchte oder sich mit einer Schreibmaschine auf eine Alp zurückzog. Ob er daran dachte, nach Amerika auszuwandern, aber das Geld für anderes brauchte, oder ob er nach Tunis wollte, ohne je dort anzukommen.

Es hatte sich auch die Flucht in die Drogen angeboten. Mit Zwanzig hatte er angefangen Morphium zu spritzen; er wechselte später auf Opium und Äther über und machte Erfahrungen mit einer ganzen Skala von Betäubungsmitteln. Diese Abhängigkeit war unvermeidlich begleitet von Rezeptfälschungen und Beschaffungsdelikten wie Diebstahl und Unterschlagung.

Es bot sich aber auch die radikalere Flucht in den Tod selber an. Als Gymnasiast machte er seinen ersten Selbstmordversuch aus enttäuschter Schüler-Freundschaft. Später versuchte er sich in einem Arrestlokal zu erhängen, als er verhaftet worden war, da er ein gestohlenes Fahrrad weiterverkaufen wollte. Es kam in Belgien zu einem Selbstmordversuch, nachdem er im Morphiumrausch sein Zimmer in Brand gesteckt hatte. Der Selbstmord begleitet mit solcher Selbstverständlichkeit seine Lebensetappen, daß sich auch ein entsprechender Verdacht einstellte, als er 1938 in Nervi bei Genua mit zweiundvierzig Jahren an einer Herzlähmung starb.

Ein Fall ohne Zweifel. »Dementia praecox« lautete die erste Diagnose: »Jugendirrsinn«. Die Gegenexpertise hielt fest: »Moralischer Schwachsinn«. Bevormundet wurde er »wegen liederlichen und ausschweifenden Lebenswandels«.

Ein Fall, der lockt, in Glauser den großen Rebellen gegen die bürgerliche Gesellschaft zu sehen. So ganz geht das Bild dieser Revolte nicht auf.

Sicherlich, mit der Auflehnung äußert sich auch der Hohn über jede Anpassung und die »bürgerlichen Tiere«. Im Tagebuch aus seinem ersten Aufenthalt in einer Irrenanstalt liest man über einen jungen Mitinsassen:

»Der Vater will, er soll stehlen wie er. Der Sohn will ehrlich werden. Hat strohblondes mit Wasser an den Kopf gepapptes Haar, ein nervöses aber auch ausdrucksloses Gesicht mit einem sonderbar gemeinen Lächeln. Er wird ein guter Bürger werden. Schade.«

Aber Glauser versuchte selber immer wieder, ein guter Bürger zu werden: Sei es, daß er, der »ewige Patient«, Pfleger werden wollte, in Indien oder sonstwo weit weg, oder sei es, daß er, der ewig Verhaftete, Internierte und Abgeschobene, sein Brot als Gerichtsberichterstatter zu verdienen beabsichtigte.

Sosehr er sich gegen seinen Vater auflehnte, er bat ihn ein

Leben lang um Verständnis und bettelte bei jedem Anlaß um finanzielle Unterstützung, die ebenso oft gewährt wie sistiert wurde.

Und er, der vor und aus Anstalten floh, hielt fest:

»Das Unerträglichste in den Anstalten ist ja immer der Mangel an Einsamkeit.«

Bei anderer Gelegenheit konnte er notieren:

»Zufrieden war ich eigentlich immer erst, wenn ich im Gefängnis oder im Irrenhaus war.«

Er hatte sich auch freiwillig für Aufenthalte in der Anstalt gemeldet und drängte gar auf Verlängerung oder Internierung und erklärte seinem Vormund:

»Sie werden begreifen, daß ich gerne eine längere Arbeit hier fertig gemacht hätte; falls sie mir angenommen wird, habe ich doch einen stärkeren Rückhalt und eine gewisse Befriedigung, die nicht zu unterschätzen ist.«

So wurde er als Drogenabhängiger auch kein Prophet der künstlichen Paradiese:

»Ohne die gewohnte Spritze ist man nur ein halber Mensch, was sage ich, ein halber Mensch: überhaupt kein Mensch; ein Lumpen über einen Stuhl geworfen, hat mehr Widerstandskraft als ein Morphinist ohne Morphium.«

Und zum gleichen Thema gestand er:

»Im Grunde gibt es nichts Uninteressanteres als das Leben eines Morphinisten. Es beschränkt sich auf Perioden, in denen er das Gift nimmt, und auf Perioden, in denen die Gesellschaft ihn zwingt, sich das Zeug wieder abzugewöhnen. Alle Gründe, die man erfindet, um die Sucht zu entschuldigen, können sich literarisch und poetisch sehr gut machen; konkret ist es eine Schweinerei, denn man ruiniert sich sein Leben damit.«

Im gleichen Maße, wie sich Glauser gegen Autorität auflehnte, suchte er Anpassung. Bis zu dem Grad, daß er es sich selber zum Vorwurf machte. Ein Jahr vor seinem Tod erschrak er:

»Ich bin von einer Mürbe, die bei einer Linzertorte vielleicht als Qualität aufgefaßt würde, aber bei einem Menschen nur eine große Schweinerei ist.«

Schon wegen solcher Ambivalenz können sich schwerlich jene Autoren auf ihn berufen, die in unseren Jahrzehnten aus dem Rebellieren ein intellektuelles Statussymbol machten. Und sicher nicht jene, bei denen der Heilige Zorn am Anfang steht und die nach einem Motiv dafür Ausschau halten. Glauser plante den »poète maudit« nicht.

Und Glauser wurde auch kein Vorläufer jener, denen ihr Innenleben leidvollen Anlaß fürs Observieren und Schreiben abgibt, obgleich die entsprechenden Psychogramme zur Verfügung gestanden hätten. Für solche Minuziositäten war seine Verzweiflung zu groß. Es war in ihm zuviel an Trostlosigkeit, als daß er seine Desperatheit kultivieren mochte oder sich dabei mit Genuß aufgehalten hätte.

So routiniert er war in der Rechtfertigung und im Stilisieren, so schonungslos konnte er mit sich umgehen:

»Manchmal, in meinen ganz ehrlichen Stunden, komme ich mir vor wie einer jener Hunde, denen im Laboratorium jener Gehirnteil entfernt worden ist, welcher der Sitz des Orientierungsvermögens sein soll: Der Hund kann seinen Weg nicht mehr finden: Will er auf einen Knochen losgehen, so schlägt er einen spiraligen oder zackigen Weg ein – und gelangt schließlich doch nicht zu seinem Knochen.«

Trotz aller Willensschwäche suchte er seinen Weg und seinen Knochen. Er hoffte jemand zu finden, der bedingungslos zu ihm hielt. Er erwartete die Radikalität einer Hingabe, die zu leisten er selber nicht imstande war. Er setzte auf Frauen, transitorisch wie leidenschaftlich. In seinem letzten Lebensabschnitt wurden zwei Figuren wichtig. Martha Ringier, die er bezeichnenderweise »maman« nannte; sie leitete in Basel die populäre Publikationsreihe »Gute Schriften«, eine geistige Freundin, die sich ebenso um seine Notlage kümmerte wie um Veröffentlichungen. Und dann Berthe Bendel.

Berthe Bendel war Pflegerin in der Anstalt Münsingen. Dort war Glauser 1932 interniert. Die Frau war wegen seiner Publikation *Morphium* auf ihn aufmerksam geworden. Er tauschte mit ihr Briefe in der Anstaltsbibliothek. Wegen dieser Beziehung zu einem Patienten verlor sie ihre Anstellung. Mit ihr wollte Glauser ein neues Leben beginnen und eine bürgerliche Existenz begründen. Der erste Versuch scheiterte; auch dem zweiten Anlauf, in der Nähe von Chartres in Angles ein Lottergütchen mit Gemüsekultur zu bewirtschaften war kein Erfolg beschieden. Die beiden lebten danach kurze Zeit in der Bretagne, bevor sie gezwungen waren, in die Schweiz zurückzukehren. Mit Berthe reiste Glauser im Sommer 1938 nach Nervi bei Genua. Die beiden wollten heiraten. Am Abend vor der Hochzeit brach Glauser bewußtlos zusammen. Zwei Tage später war er tot.

Mit Berthe hatte Glauser, ein »Leidsucher«, wie er sich selber nannte, einen »sicheren Punkt in einem unsicheren Leben« gefunden. Berthe hielt zu ihm, als er rückfällig wurde, sie war da für jeden Neubeginn, sie stand in den Jahren an seiner Seite, als Glauser die aussichtslose Existenz eines freien Schriftstellers führte. In seinen letzten fünf Lebensjahren entstanden seine Romane, unter abenteuerlichen und verzweifelten Umständen, zwischen Internierungen und Entlassungen, etwelchen Erfolgen und Zusammenbrüchen, Entziehungskuren und Reisen.

Seine Liebe zu Berthe drückte Glauser mit Worten wie diesen aus:

»Ich bin ein ganz armer Idiot gegen dich, tatsächlich, denn ich habe immer gedacht, ich sei so irgend ein fremdes Tier von einer halb ausgestoßenen Rasse, mit meiner Wurstigkeit und meinem auf die letzte Karte setzen... Ich komme einfach aus dem Staunen nicht heraus.«

Er liebte die Metapher vom »armen Hund«, nicht nur für sich, sondern auch für die Unhelden seiner Erzählungen und Romane.

Am Ende und für die Nachwelt wurde er zum Schriftsteller, mit und trotz seiner »Katastrophensucht«. Obwohl, auch als Schriftsteller paßte er nicht ins Bild.

Man liebte damals wie heute die Vorstellung, daß Schweizer Schriftsteller nützliche Glieder der Gesellschaft sind: Gottfried Keller ein Staatsschreiber und Jeremias Gotthelf ein Pfarrer. Und Conrad Ferdinand Meyer besaß Anstand genug, über ein ausreichendes Privatvermögen zu verfügen. Allerdings – zu Keller gehörte der Alkoholismus.

Gotthelf war einer der am meisten gehaßten Männer. Und Meyer kannte Aufenthalte in der Nervenklinik.

Auch was die eigene Generation betraf, lag Glauser nicht völlig daneben. Robert Walser war 1929 in die Berner Klinik Waldau gekommen. Als Glauser dort eingeliefert wurde, war Walser bereits nach Herisau überführt worden, wo er mit äußerster Diskretion ein Vierteljahrhundert lang ein Geheimschriftendasein lebte.

Sicherlich, im Vergleich zu den andern hatte Glauser mit seinem Außenseitertum übertrieben. Er fügte sich aber nicht nur biographisch nicht ins Bild, sondern auch literarisch nicht.

Als er einmal in einem Rückblick einen Vers von Paul Verlaine zitiert, erinnert er sich mit melancholischer Ironie: »Damals, als ich noch literarisch veranlagt war.«

Als Student hatte Glauser daran gedacht, französische Literatur zu studieren; bei seiner Zweisprachigkeit leuchtete das ein. Aber der Universität zog er die Bohème vor. Während des Ersten Weltkriegs war Zürich ein Zentrum der Avantgarde. Glauser lernte dank Tristan Tzara den Dadaismus kennen, und er trat auch bei den Dadaisten auf. Seine Spezialität war, »Sprachensalat zuzubereiten«. Aber er suchte bei den Dadaisten nicht Credo, sondern Anschluß.

Er fand Anschluß, wenn auch oft nur kurzfristig, an andere intellektuelle und literarische Zirkel und Gruppen. In Zürich wie in der italienischen Schweiz. Hugo Ball und seine Frau Emmy erregten seine Bewunderung. Seine erste Flucht hatte ihn nach Ascona geführt. *Jahrmarkt des Geistes* heißt sein Erinnerungsstück an diesen ausgeflippten Ort:

»Meine Flucht aus dem Irrenhaus bedeutet hier kein Makel. Ein kleiner Anstrich von Romantik war es höchstens, eigentlich verrückt war ich ja nie gewesen.«

Schon während seiner ersten Internierung hatte Glauser ein Tagebuch verfaßt; er hörte nie zu schreiben auf, auch wenn es zu längeren Unterbrüchen kam:

»Ein wenig Geld: ich muß nämlich Schreibmaschinenpapier kaufen und ein paar Zigaretten.«

So lautete einer seiner Hilferufe an den Vater aus der Anstalt.

Unter dem, was nicht nur für ein Tagebuch gedacht war, sondern veröffentlicht wurde, sind zunächst die Prosastücke eindrücklich, in denen Glauser Autobiographisches umsetzt. Ein Parlando-Text wie *Nausikaa*, übrigens eines der seltenen Beispiele dafür, wie unbelastet der Humor des Autors sein kann. Oder *Beichte in der Nacht*, eine Monolog-Erzählung, die in jede Anthologie deutschsprachiger Erzählungen aus der ersten Jahrhunderthälfte aufgenommen werden müßte.

Seinem ersten Roman lag die Erfahrung in der Fremdenlegion zugrunde. *Gourrama*, geheißen nach einem Legionsposten im Süden Marokkos. Glauser hatte auf das Manuskript einen Vorschuß des Schweizerischen Schriftstellerverbandes erhalten; die zweite Rate wurde nicht ausbezahlt, da man den Schluß unbefriedigend fand. Aber wie immer auch der Schluß der endgültigen Fassung sein mochte, das Buch besitzt Intensität und Anschaulichkeit wie nur wenige Romane aus den dreißiger Jahren. Nun hatte das Buch nicht zuletzt deswegen Verlegenheit ausgelöst, weil sich darin homoerotische Passagen finden. Einmal mehr hätte Glauser aufbegehren können, ob man denn nicht Geschichten schreiben dürfe, die wahr seien.

Aber es waren andere Gründe, weswegen sich Glauser nicht ohne weiteres ins literarische Bild fügte.

»Moralischer Defekt. Maßlose Überheblichkeit bei so geringer Intelligenz, daß sie gerade für eine schriftstellerische Tätigkeit seiner Gattung noch ausreicht.«

So lautete ein Gutachten eines seiner Seelenärzte, des Direktors der Anstalt Waldau, der ein Auch-Dichter war.

»Seine Gattung«, das war der Kriminalroman, und der war am Rand der seriösen Literatur angesiedelt. Es war ein Friedrich Dürrenmatt, der nach Glauser den Kriminalroman wieder literaturfähig machte.

Sosehr Glauser bei einzelnen Feuilleton-Redaktoren Unterstützung fand, in dieser Zeitung und in jener Illustrierten publizieren konnte, Schriftsteller zu Kollegen und Förderern zählte, die zünftige Literaturkritik und die Literaturwissenschaft nahmen eine solche Literatur nicht allzu ernst. Erst nachdem seit 1969 im Zürcher Arche-Verlag, von Hugo Leber ediert, die vier Bände *Gesammelte Werke* von Glauser zu erscheinen begannen, setzte eine literarische Neuwertung ein.

»Sie rümpfen die Nase wegen meiner Beschäftigung mit dem Kriminalroman. Erlauben Sie, daß ich mich ein wenig verteidige ... Mein Ehrgeiz strebt nicht danach, von Literaturbonzen ernst genommen zu werden. Ich möchte die Leute erwischen, die Courts-Mahler lesen oder John Kling.«

Glauser fühlte sich zur Rechtfertigung verpflichtet. Was er hier in einem Brief an einen seiner Verleger ausführte, nahm er auf in einem *Offenen Brief über die Zehn Gebote für den Kriminalroman:*

»Wenn es uns gelingt, Sympathien und Antipathien im Leser zu wecken für unsere Geschöpfe, für die Häuser, in denen sie wohnen, für die Spiele, die sie spielen, für das Schicksal, das über ihnen schwebt und sie bedroht oder ihnen lächelt? Das alles tat früher der ›Roman‹ schlechthin, das Kunstwerk. Wäre es nicht eine lohnende Aufgabe für uns, ihm wieder Leser zuzuführen durch seinen verachteten Bruder, den Kriminalroman?«

Aber der gleiche Glauser konnte auch schreiben:

»Ich habe mir nie eingebildet zu wissen, wie man fürs Volk schreibt. Ich glaube die sogenannte Volksliteratur ist ein aufgelegter Schwindel.«

Obwohl Glauser mit seinen Kriminalromanen Erfolg hatte und Pläne für neue in sich trug, wollte er einmal etwas »Ernsthaftes« verfassen, den »großen Schweizer Roman«.

»Plötzlich scheint es mir, als brauche ich die Schweiz, als sei sie meine Heimat und wolle ich über sie schreiben und müsse ich in diesem Land wohnen.«

Das schrieb er ein paar Monate vor seinem Tod aus Italien. Dieser Wunsch nach Seßhaftigkeit und Identifizierung nahm sich anders aus, als was er fünfzehn Jahre zuvor über die Enge des Landes notiert hatte:

»Ich stelle mir das so schön vor, wieder einmal unbehindert aus der Schweiz fliehen zu können, und manchmal kommt es mir vor, als sei es gleichgültig, ob ich hier eingeschlossen sei, in einem Haus mit einem kleinen Garten, oder draußen in einem grenzgesperrten Land.«

Sein Vater hatte dem Jungen gepredigt, er sei »Bürger

eines freien Helvetiens«. Glauser sollte dieses freie Helvetien über die Anstalts-Geographie von Basel, Bern und Zürich kennenlernen. Er war in die Schweiz zur Schule geschickt worden, um die »Sitten seiner Heimat« kennenzulernen. Das tat er, aber nicht wie vorgesehen. Er wurde mit seinen Kriminalromanen zum Schilderer dieser Sitten wie kaum ein zweiter seiner Generation, und daß diese Sitten Unsitten waren, lag nicht an ihm.

In den Jahren, als in der Schweiz im Zeichen der geistigen Landesverteidigung und der nationalen Selbstbesinnung die Blubo-Welt sich auch in der Literatur breitmachte, durchlöcherte Glauser die Idylle. Er entmystifizierte schon dadurch, daß er Irren- und Armenanstalten zu Schauplätzen der Literatur machte, daß er jenen Rand der Sozietät einbrachte, den diese nur allzu gern leugnete. Er machte den kleinen Mann und die kleine Frau zu Helden und Heldinnen:

»Was einfache Menschen für komplizierte Schicksale haben können«, sagt einmal eine seiner Figuren. Glauser entlarvte die Gesellschaft, indem er ihre Vorstellung von Recht und Ordnung bloßlegte. Das tat er nicht aus irgendwelcher programmatischer Absicht, sondern indem er als Erzähler diese Gesellschaft darstellte. Er erreichte nicht zuletzt Authentizität, weil er, unbekümmert um die einheimischen und ausländischen Puristen, Helvetismen als Stilmittel benutzte und somit auch von der Sprache her schweizerische Atmosphäre schuf.

Die Wohlanständigkeit hatte ihn kriminalisiert, er kriminalisierte die Wohlanständigkeit. Er, der zum Fall geworden war, machte aus der Gesellschaft einen Fall. Der Kriminalroman war nicht eine zufällige, sondern eine gegebene Literaturgattung. Demzufolge nimmt Glauser seinen Platz in der Schweizer Literatur ein mit Kriminalromanen wie *Wachtmeister Studer, Matto regiert* oder *Der Chinese*.

Glauser erfand die Figur des Wachtmeisters Studer. Nach eigner Auskunft dachte er dabei an Georges Simenons Maigret. Aber Studer wurde nicht eine Kopie. Glauser verhalf ihr zu unverkennbar helvetischer Selbständigkeit, indem er das Hintergründige in die Biederkeit steckte.

Dank dieser Detektiv-Figur erlangte Glauser Popularität. Vorerst nicht mit dem Studer, wie er in seinem Roman auftritt, sondern wie er auf die Leinwand kam. Insofern war die Popularität auch bereits ein Mißverständnis. Das illustriert die Verfilmung von *Matto regiert* aus dem Jahr 1947, die ein Beispiel helvetischer Hollywoodisierung abgibt. Im Film endet die Geschichte, die in einer Irrenanstalt spielt, wo ein Patient den Direktor umbringt, nicht wie im Roman in einer »scheußlichen Einsamkeit«. Erst Kurt Gloor, der 1979 den *Chinesen* verfilmte, brachte auf die Leinwand das Bodenlose der Atmosphäre, das die Romane von Glauser auszeichnet.

Mit wenigen Strichen konnte Glauser Schauplätze charakterisieren. Und als Erzähler war Glauser ein Meister der Beiläufigkeiten:

»Und in Bellegarde, während er auf den Schnellzug wartete, nahm Wachtmeister Studer Abschied von seinem treuesten Reisebegleiter: dem ramponierten Koffer aus Schweinsleder. Es war ein wortloser, aber inniger Abschied. Dinge haben oft mehr Herz als Menschen – der Koffer verzog alle Falten, die ein langer Gebrauch in sein

Leder gegraben hatte. Aber er weinte nicht. Koffer weinen nicht. Koffer begnügen sich damit, kummer- und vorwurfsvoll dreinzublicken ...«

Von Wachtmeister Studer heißt es, er »spinne ein wenig«; man erfährt, daß er eine dunkle Affäre hinter sich hatte, ein Versager, dem man eine zweite Chance einräumte und der nach wie vor vom »großen Fall« träumt. Aber die Bilanz einer Fahndungsarbeit lautet anders:

»Es war kein großer Fall gewesen. Man hat wieder einmal daneben gegriffen.«

Das Spiegelbild von Glauser ist leicht erkennbar; er gibt diesem Wachtmeister für seine Detektivarbeit jene Fähigkeit sich »einzuleben«, auf die Glauser selber so angewiesen war. Es ist ein Angeschlagener, der sich an eine angeschlagene Gesellschaft macht.

»Der Täter? Er ist ein Mensch unter anderen, wie es im alltäglichen Leben auch der Fall ist. Und daß er entlarvt wird, ist gar nicht so wichtig, es gibt kein Aufatmen am Ende, keinen Theatercoup, die Geschichte hat eigentlich kein Ende, sie hört auf – es ist ein Abschnitt des Lebens, aber das Leben läuft weiter, unlogisch, packend, traurig und grotesk zugleich.«

So werden mit dem Täter zugleich die Respektpersonen entlarvt. Aufgedeckt wird nicht ein Fall, sondern die Sozietät, in der dieser Fall möglich war – nicht zuletzt das macht die Modernität von Glauser aus.

»Denn die Gerechtigkeit, wie man sie früher darstellte und auch heute noch, wenn man sie symbolisieren will, vor Gerichtspalästen, präsentiert sich als eine wohlgenährte, ziemlich vollbusige Krämerin, die sich für irgendeinen Kostümball auf griechisch verkleidet hat. Außer der Binde über den Augen, die wohl ebensogut und stilecht eine Dominomaske vorstellt, trägt sie in der einen Hand ein Schwert, während sie, ganz ihrem unterschobenen Berufe gemäß, zwischen den Fingern der andern den Galgen einer Waage hält. Und das Zünglein der Waage soll senkrecht nach dem (ach so leeren!) Himmel weisen. Was wägt die Gerechtigkeit? Sie versucht Tat und Strafe ins Gleichgewicht zu bringen. Es heißt dies nichts anderes, als daß eine Tat, die in einer Sekunde geschehen ist (im Bruchteil einer Sekunde zumeist), durch soundso viele Jahre oder Monate Einschließen in einen wenig Quadratmeter großen Raum aufgewogen werden kann. Die Zeiten sind andere, zugegeben, und gegen die Kompliziertheit der heutigen Justiz wäre nichts einzuwenden, hätte man nicht den unangenehmen Eindruck, sie sei nichts anderes als die Flucht vor eigener Verantwortlichkeit. Eine Ausflucht, ein Kompromiß. An und für sich wäre dies gar nichts so Übles, denn schließlich steht unser ganzes soziales Leben auf Kompromissen, auf Ausflüchten.«

Diese Gedanken legt Glauser in einem Aufsatz dar, der bezeichnenderweise *Störenfried* heißt. Er, den man zum Lügner gemacht hatte, stellte fest, daß alle lügen. Ihm leuchtete die Kollektivlüge ein; ansonsten wäre in einer Gesellschaft nicht möglich, was er »Geselligkeit« nannte. Genau diese Geselligkeit aber zerstörte er. Er, der nicht ins Bild paßte, zeigte, wie das Bild nicht stimmt. Er führte uns vor, was wir alle zu vermeiden suchen:

»Als jener arme Hund dazustehen, der jeder von uns nun einmal ist.«

Friedrich Glauser im Diogenes Verlag

»Glauser erfand die Figur des Wachtmeisters Studer. Nach eigener Auskunft dachte er dabei an Georges Simenons Maigret. Aber Studer wurde nicht eine Kopie. Glauser verhalf ihr zu unverkennbar helvetischer Selbständigkeit, indem er das Hintergründige in die Biederkeit steckte.« *Hugo Loetscher*

»Friedrich Glauser mit seinem abenteuerlich umgetriebenen Leben und seiner Fähigkeit, es spontan in Sprache umzusetzen, mit seiner Unmittelbarkeit, seiner leidend und leidenschaftlich durchlebten Erfahrung ist tatsächlich eine Entdeckung.«
Bayerischer Rundfunk, München

Gourrama
Ein Roman aus der Fremdenlegion

Die Kriminalromane in 6 Bänden:

Wachtmeister Studer
Roman. Mit einem Nachwort von Hugo Loetscher

Die Fieberkurve
Roman

Matto regiert
Roman

Der Chinese
Roman

Krock & Co.
Roman

Der Tee der drei alten Damen
Roman